Collection
PROFIL LITTÉRATURE
dirigée par Georges Décote

Série
THÈMES ET QUESTIONS D'ENSEMBLE

Les débuts de roman

PAR HÉLÈNE SABBAH
professeur de lettres

HATIER

SOMMAIRE

 ISSN 0750-2516 ISBN 2-218-03556-1

Présentation du thème

Lorsqu'un lecteur ouvre un roman, il n'en connaît en général que le titre, parfois peu explicite. *Germinal, La Condition humaine, Les Choses* ou *La Modification* ne laissent pas deviner, d'emblée, leur contenu.

Il s'attend donc à trouver, dès le début de sa lecture, des informations plus éclairantes. Les quelques lignes qui commencent l'histoire, ce que l'on appelle « l'incipit », ont de ce fait une importance particulière.

L'incipit fait exister et informe

La première fonction du « début du roman » est de faire exister par les mots ce qui n'existe pas encore pour le lecteur : une situation, des personnages, une époque, des lieux, une intrigue. En créant, il informe, et grâce à lui, les premières lignes offrent les éléments d'une connaissance. En ce sens on peut dire que le « début de roman » apporte des réponses aux questions (où? qui? quoi? comment? quand?) que se pose tout lecteur s'apprêtant à lire une histoire.

L'incipit fait découvrir et crée des liens

En fonction de la nature et des caractères de son contenu, l'incipit est à l'origine de liens qui se créent avec le lecteur. L'entrée dans un roman ressemble à la découverte de lieux inconnus. Ils sont dépaysants, ou familiers, ils plaisent, rebutent ou déconcertent. Le lecteur s'y sent étranger ou immédiatement conquis. Le « début de roman » a une fonction affective.

L'incipit ne dit pas tout

La position particulière de l'incipit attire l'attention sur plusieurs traits spécifiques. Précis et informatif, il ne dit pourtant pas tout, et le lecteur n'est pas en mesure d'évaluer l'importance exacte des informations qu'il reçoit. Il faut en effet avancer dans la lecture pour que le début prenne sa véritable signification, pour que le lecteur comprenne le poids de son contenu, et sa force déterminante sur la suite des événements. Il faut même parfois mettre ce début en relation avec l'épilogue pour saisir la portée de l'histoire.

L'incipit est décisif

On comprend alors que cette « entrée en matière » soit essentielle, autant pour l'auteur que pour le lecteur. Elle les met en effet dans une position bien différente : lorsque l'histoire commence, elle existe déjà pour celui qui l'a écrite, ou pour celui qui la raconte. Mais elle est inconnue du lecteur qui va la découvrir, c'est-à-dire la faire vivre et exister : c'est avec l'incipit que tout commence…

Neuf textes étudiés

TEXTE 1

Histoire de Gil Blas de Santillane (1715-1735)

LESAGE

Inspiré de la littérature espagnole et situé en Espagne, l'*Histoire de Gil Blas de Santillane* est un roman dit « picaresque[1] ». Il met en effet en scène un personnage d'origine modeste qui cherche à s'élever socialement au prix de multiples aventures. La narration est faite à la première personne. Le narrateur se remémore sa vie et la raconte lorsqu'il est adulte.

De la naissance de Gil Blas, et de son éducation

Blas de Santillane, mon père, après avoir longtemps porté les armes pour le service de la monarchie espagnole, se retira dans la ville où il avait pris naissance. Il y épousa une petite bourgeoise qui n'était plus dans sa première jeunesse, et je vins au monde dix mois après leur mariage. Ils allèrent ensuite demeurer à Oviédo[2], où ma mère se mit femme de chambre, et mon père écuyer[3]. Comme ils n'avaient pour tout bien que leurs gages, j'aurais couru risque d'être assez mal élevé, si je n'eusse pas eu dans la ville un oncle chanoine. Il se nom-

1. Le *picaro* désigne un aventurier sans fortune et ambitieux.
2. Ville espagnole de la province des Asturies
3. Désigne simplement un serviteur d'une personne de qualité.

mait Gil Perez. Il était frère aîné de ma mère et mon parrain. Représentez-vous un petit homme haut de trois pieds et demi, extraordinairement
15 gros, avec une tête enfoncée entre les deux épaules : voilà mon oncle. Au reste, c'était un ecclésiastique qui ne songeait qu'à bien vivre, c'est-à-dire qu'à faire bonne chère; et sa prébende[1], qui n'était pas mauvaise, lui en fournissait les moyens.
20 Il me prit chez lui dès mon enfance, et se chargea de mon éducation. Je lui parus si éveillé, qu'il résolut de cultiver mon esprit. Il m'acheta un alphabet, et entreprit de m'apprendre lui-même à lire; ce qui ne lui fut pas moins utile qu'à moi; car,
25 en me faisant connaître mes lettres, il se remit à la lecture, qu'il avait toujours fort négligée, et, à force de s'y appliquer, il parvint à lire couramment son bréviaire, ce qu'il n'avait jamais fait auparavant.

PISTES DE LECTURE

INTRODUCTION

Dans le premier chapitre, intitulé « De la naissance de Gil Blas, et de son éducation », le narrateur précise ses origines familiales et le début de son éducation. Mais en se reportant à son enfance, avec le recul du temps, il ne peut s'empêcher de porter quelques jugements critiques sur les faits et sur les gens. Ces caractéristiques peuvent orienter l'étude de ce texte dans les deux directions suivantes :
– le caractère informatif du texte;
– le décalage temporel et les jugements portés par le narrateur.

1. Revenu procuré par une charge ecclésiastique.

1. LE CARACTÈRE INFORMATIF DU TEXTE

En relation constante avec le titre du chapitre, ce début de roman apporte au lecteur plusieurs informations concernant les origines de Gil Blas, sa famille et son éducation.

Les origines familiales

Le texte débute par une présentation des parents du narrateur. Cette présentation est faite sur le mode de la narration. Y figurent en effet des indications spatiales (« dans la ville » l. 3; « y » l. 4; « Oviedo » l. 7) et temporelles, ponctuant le récit (« après », « longtemps », l. 1; « dix mois après » l. 6; « ensuite », l. 7). Sont présentés successivement le père, la mère, leur mariage. Pour ce qui est du père, les précisions portent sur son nom (« Blas de Santillane » l. 1) et certaines étapes de sa vie professionnelle (« service de la monarchie espagnole » l. 2, « se retira » l. 3, « écuyer » l. 8). Pour la mère, les informations sont similaires : ses origines sociales (« petite bourgeoise » l. 4), un âge incertain (« n'était plus dans sa première jeunesse » l. 5), un métier (« femme de chambre » l. 8). Ces différents détails permettent au narrateur de se situer socialement. Le mot « naissance » se trouve ainsi explicité sur deux plans : naissance réelle, et situation dans la hiérarchie sociale.

L'éducation

Elle est présentée comme étroitement associée à la condition financière des parents. Le narrateur rapporte comment elle s'est décidée, qui l'a prise en charge et quelles sont ses caractéristiques.

Les circonstances : elles sont doubles. L'accent est mis sur la situation sociale des parents (« n'avaient pour tout bien... » l. 9), et sur l'existence d'un oncle jouant le rôle de précepteur (« si je n'eusse pas eu dans la ville un oncle chanoine » l. 10).

Le précepteur : il est présenté assez longuement. Sont précisés les liens familiaux (« oncle » l. 11, « frère aîné de ma mère », « mon parrain », l. 12-13), son identité (« il se nommait Gil Perez » l. 11-12). Vient ensuite un portrait physique assez réjouissant, pour lequel le narrateur fait appel à l'imagination du lecteur (« Représentez-vous » l. 13). La description met en évidence des effets de disproportion (petite taille et gros volume) par la juxtaposition des notations (« haut de trois pieds et demi »/« extraordinairement gros » l. 14). Le portrait physique est complété par des précisions concernant le comportement, précisions qui soulignent une manière de vivre axée sur les plaisirs de la table (« bien vivre », « bonne chère » l. 17-18).

Les caractéristiques de l'éducation : le projet d'éducation repose, tel qu'il est exposé, sur une relation de cause à effet entre les qualités reconnues à l'enfant (« si éveillé » l. 21) et une volonté affirmée de l'éducateur (« il résolut de cultiver mon esprit » l. 22). L'orientation essentielle est l'apprentissage de la lecture, comme le soulignent les termes appartenant au même champ lexical : « alphabet » l. 23, « apprendre » l. 23, « lettres » l. 25, « lecture » l. 26, « lire » l. 27. Le narrateur rapporte d'ailleurs avec une certaine malice que le résultat de cet apprentissage ne fut pas exactement celui que l'on devait en attendre!

Cette manière de raconter les choses, qui glisse vers des jugements teintés d'humour, est due au fait que le narrateur revient à son enfance avec un décalage temporel. Ainsi s'explique une tonalité qui dépasse l'objectivité strictement informative : l'adulte juge ce que l'enfant vivait.

2. LE DÉCALAGE TEMPOREL ET LES JUGEMENTS PORTÉS PAR LE NARRATEUR

Pour que le narrateur puisse raconter son enfance, il faut, naturellement, qu'il se situe ultérieurement dans le temps. Ce décalage est perceptible dans le texte à plusieurs reprises et sur plusieurs plans.

Les indices du décalage temporel

Les précisions concernant les parents, leur vie, leur mariage, l'éducation de l'enfant ne peuvent avoir été rassemblées que par le narrateur adulte. C'est là une première illustration du décalage dans le temps. Une autre se trouve dans l'utilisation du présent à la ligne 13. L'appel au lecteur, sous la forme de l'impératif « Représentez-vous » situe le texte et sa rédaction dans le présent du narrateur, au moment où il transcrit des événements qui se sont passés bien avant, et ce avec un regard différent.

Les jugements portés sur les êtres et sur les faits

Le regard rétrospectif porté par le narrateur sur ses origines, sur ceux qui l'ont fait naître et l'ont éduqué est un regard chargé d'affectivité, de lucidité et d'humour. Il souligne des traits que seul l'adulte peut voir, et juger. Ainsi la remarque concernant sa mère (« qui n'était plus dans sa première jeunesse » l. 5) n'est pas très élogieuse et comporte un certain nombre d'implicites (elle n'était plus très « fraîche », elle n'avait pas trouvé à se marier avant...).

De même, le portrait du chanoine, véritable caricature, insiste non seulement sur les ridicules physiques du personnage (taille très petite et volume important, « tête enfoncée entre les deux épaules » l. 15), perceptibles par un enfant, mais sur les contradictions entre son état « ecclésiastique » et son goût prononcé pour la bonne chère. Cette contradiction est soulignée par la négation « ne... que » (l. 17), par la précision donnée par « c'est-à-dire », par l'insistance sur ses ressources (« sa prébende » l. 18).

Ce qui met le plus en lumière la position « à distance » du narrateur est la manière dont il souligne plaisamment, avec humour, le retournement de situation dans la relation enseignant/enseigné. Dans l'apprentissage de la lecture, le chanoine est d'abord celui qui enseigne : on le voit au jeu des pronoms personnels. « Il » est sujet (« il résolut de cultiver », « il m'acheta », « entreprit ») tandis que la première personne est complément (« m'acheta » l. 22, « m'apprendre » l. 23, « me faisant connaître » l. 25). Mais on observe que le maître devient bientôt le bénéficiaire de son propre enseignement : « il se remit », « il parvint à lire couramment » (l. 25-27). Le lecteur ne sait pas si Gil apprit à lire correctement, mais il apprend que le chanoine, lui, le fit! La scène prend toute sa saveur par rapport à ce que dit le narrateur plus haut (« J'aurais couru risque d'être assez mal élevé ») : le lecteur doit-il penser qu'avec l'éducation d'un chanoine bon vivant et illettré les risques ont disparu? Seule la suite de l'histoire pourrait répondre à cette question...

CONCLUSION

D'abord strictement informatif, et de ce fait dans la ligne traditionnelle, ce début de roman glisse vers une tonalité humoristique et critique qui « accroche » l'attention du lecteur. Cette ouverture qui insiste sur les origines et sur l'éducation s'inscrit tout à fait dans la structure logique de l' « histoire » d'une vie. Il est probable que les points sur lesquels le narrateur met l'accent se révéleront importants pour la suite. Des origines médiocres rendent ambitieux. Quant à l'éducation, c'est en racontant ses aventures que le narrateur en dira la valeur, ou les insuffisances. Il était donc important de commencer par elle.

TEXTE 2 Jacques le fataliste (1778)

DIDEROT

En mettant en scène *Jacques le fataliste,* Diderot s'interroge sur la liberté : ce héros, qui croit que tout ce qu'il fait est écrit « sur un grand rouleau » peut-il se dire libre? Et celui qui le fait exister l'est-il davantage, s'il fait vivre un personnage dont tous les actes et les sentiments sont déterminés par un destin préétabli? Ce roman insolite repose sur une structure originale. Le narrateur raconte l'histoire de Jacques... qui raconte l'histoire de ses amours. Cet emboîtement d'un récit à l'intérieur d'un autre est perceptible dès l'ouverture du roman (l'incipit).

Comment s'étaient-ils rencontrés? Par hasard, comme tout le monde. Comment s'appelaient-ils? Que vous importe? D'où venaient-ils? Du lieu le plus prochain. Où allaient-ils? Est-ce que l'on sait
5 où l'on va? Que disaient-ils? Le maître ne disait rien; et Jacques disait que son capitaine disait que tout ce qui nous arrive de bien et de mal ici-bas était écrit là-haut.

LE MAÎTRE. – C'est un grand mot que cela.

10 JACQUES. – Mon capitaine ajoutait que chaque balle qui partait d'un fusil avait son billet.

LE MAÎTRE. – Et il avait raison…

Après une courte pause, Jacques s'écria : Que le diable emporte le cabaretier et son cabaret!

15 LE MAÎTRE. – Pourquoi donner au diable son prochain? Cela n'est pas chrétien.

JACQUES. – C'est que, tandis que je m'enivre de son mauvais vin, j'oublie de mener nos chevaux à l'abreuvoir. Mon père s'en aperçoit; il se fâche. Je
20 hoche de la tête; il prend un bâton et m'en frotte un peu durement les épaules. Un régiment passait pour aller au camp devant Fontenoy[1]; de dépit je m'enrôle. Nous arrivons; la bataille se donne.

LE MAÎTRE. – Et tu reçois la balle à ton adresse.

25 JACQUES. – Vous l'avez deviné; un coup de feu au genou; et Dieu sait les bonnes et mauvaises aventures amenées par ce coup de feu. Elles se tiennent ni plus ni moins que les chaînons d'une gourmette. Sans ce coup de feu, par exemple, je
30 crois que je n'aurais été amoureux de ma vie, ni boiteux.

LE MAÎTRE. – Tu as donc été amoureux?

JACQUES. – Si je l'ai été!

LE MAÎTRE. – Et cela par un coup de feu?

35 JACQUES. – Par un coup de feu.

LE MAÎTRE. – Tu ne m'en as jamais dit un mot.

JACQUES. – Je le crois bien.

---

1. Bataille ayant eu lieu en 1745 pendant la guerre dite de la Succession d'Autriche.

LE MAÎTRE. – Et pourquoi cela?

JACQUES. – C'est que cela ne pouvait être dit ni
40 plus tôt ni plus tard.

LE MAÎTRE. – Et le moment d'apprendre ces amours est-il venu?

JACQUES. – Qui le sait?

LE MAÎTRE. – À tout hasard, commence tou-
45 jours...

Jacques commença l'histoire de ses amours.

PISTES DE LECTURE

INTRODUCTION

Jacques le fataliste s'ouvre sur un début tout à fait déroutant pour le lecteur. Après une série de questions dont les réponses ne sont pas très éclairantes, apparaissent deux personnages en plein dialogue comme au théâtre. Jacques se met alors à raconter une histoire, et le lecteur ne sait plus très bien où il en est, qui est le narrateur, ni quelles sont ses intentions.

Les particularités de ce début inattendu conduisent à étudier successivement :
- le caractère insolite de l'entrée en matière;
- l'utilisation d'éléments romanesques habituels;
- les problèmes posés par un incipit complexe.

1. LE CARACTÈRE INSOLITE DE L'ENTRÉE EN MATIÈRE

Au lieu des informations qu'il pourrait espérer, le lecteur est confronté dès les premières lignes à une série de questions aux réponses inexistantes ou vagues. Le texte est ensuite caractérisé par une alternance de dialogue et de récit. L'histoire racontée semble être en réalité la préparation d'une autre histoire.

Le refus d'informer

De manière inattendue, le texte commence par une série de cinq questions portant sur les informations que tout lecteur attend au début d'une histoire. Les mots interrogatifs (« comment », « d'où », « où », « que », l. 1-5) concernent les circonstances d'une rencontre, l'identité (« Comment s'appellaient-ils? »), l'origine, la destination, le contenu des paroles échangées (« Que disaient-ils? »). Mais le lecteur reste sur son attente. Les réponses sont incongrues, déroutantes : elles prennent la forme d'autres questions (« Que vous importe? » l. 3; « Est-ce que l'on sait où l'on va? » l. 4). Elles restent évasives (« Par hasard » l. 1), ou se présentent comme une cascade de discours rapportés (« Jacques disait que son capitaine disait... » l. 6). Le caractère irrévérencieux de certaines de ces réponses est étonnant (« Que vous importe? ») : le lecteur peut croire qu'on se moque de lui.

L'alternance dialogue/récit

Dans la présentation typographique du texte, le lecteur remarque la présence de blancs séparant certains passages (après les lignes 8, 12, 14, 45). Ces séparations font alterner des passages de dialogue et de récit. Le dialogue se présente comme dans une pièce de théâtre : les noms de ceux qui parlent sont indiqués à chaque prise de parole. Cette indication fait apparaître une alternance de répliques entre deux personnages, Jacques et le Maître. Ils semblent poursuivre une discussion dont le début est rapporté dans les lignes 5 à 8.

Le dialogue : il porte d'abord sur les convictions du capitaine (« Mon capitaine ajoutait... » l. 10), que rapporte Jacques, puis sur le fait de jurer (l. 15-16). Il prend alors un cours tout à fait différent. On remarque en effet dans les lignes 15 à 46 une grande disproportion dans la longueur des répliques. Jacques parle longuement (l. 17-23, l. 25-30) et le contenu de ses paroles est un véritable récit racontant la manière dont il s'est enrôlé. Sa deuxième tirade est consacrée à des considérations sur l'enchaînement des événements (l. 25-30). La suite du dialogue consiste en un échange rapide de questions/réponses nées de la curiosité du maître (« Tu as donc été amoureux? », « Et cela par un coup de feu? », « Et pourquoi cela? ») et por-

tant sur des aventures antérieures de Jacques. L'originalité de cette discussion tient à plusieurs caractères :
- elle se situe dans un contexte spatial et temporel dont rien n'est donné;
- elle prend à plusieurs reprises la forme d'un récit à la première personne (l. 17-23, l. 29-30);
- elle se « raccroche » au récit qui la précède immédiatement : les premières paroles du maître sont un jugement porté sur l'avis du capitaine (« C'est un grand mot que cela » l. 9). Il en est de même entre la ligne 14 et la ligne 15.

Le récit : après les lignes du début (interrogations des lignes 1-8), il reprend à deux brèves reprises, à la ligne 13 et à la ligne 46 (« Après une courte pause », « Jacques commença l'histoire de ses amours »). La présence de questions déroutantes, le dialogue théâtral et le récit à l'intérieur du dialogue donnent à cette entrée en matière un aspect très inattendu. Tout se passe comme si Diderot ne prenait pas son lecteur très au sérieux. Derrière la fantaisie, il apparaît cependant que certaines caractéristiques du roman traditionnel sont respectées.

2. LES ÉLÉMENTS DU ROMAN TRADITIONNEL

Tout en refusant d'informer son lecteur, Diderot lui donne cependant des éléments lui permettant de se faire une première idée de la situation et des personnages.

Des personnages présents ou évoqués

À travers le récit ou le dialogue, trois personnages apparaissent, dont deux sont présents. Le lecteur découvre leurs traits de caractère à travers ce qu'ils disent ou ce qu'ils font. Les deux personnages présents sont Jacques et son maître, et si l'on ne sait rien de leur rencontre, ou de leur destination, on connaît leurs noms et la nature de leur relation : Jacques est valet, et le maître est son employeur.

Jacques : il se fait connaître par une histoire, la sienne et par une philosophie, le déterminisme.

– L'histoire de Jacques : elle est racontée dans les lignes 17 à 23. Le récit fait état de mauvaises relations avec son père (une querelle due au vin et se terminant par des coups de bâton), d'une fugue, d'une participation à une bataille historique, celle de Fontenoy. Le récit est mené avec rapidité, par une succession de verbes d'action (« passait », « je m'enrôle », « Nous arrivons », « se donne »), sans détails (l. 21-23). D'autres éléments narratifs viennent s'y ajouter, le coup de feu (l. 25) et ses conséquences : une aventure amoureuse.

– Sa philosophie : la référence de Jacques semble être son capitaine, puisqu'il fait souvent allusion à ses paroles (« Jacques disait que son capitaine disait... » l. 6, « Mon capitaine ajoutait... » l. 10). À travers les paroles du capitaine, confirmées par celles de Jacques, on perçoit le caractère déterministe et fataliste de cette philosophie. L'idée essentielle est celle d'un enchaînement nécessaire de cause à effet. L'image des « chaînons d'une gourmette » (l. 28), l'affirmation « cela ne pouvait être dit ni plus tôt ni plus tard » (l. 38) vont dans le même sens. Elles mettent en relief l'idée que tout est déterminé et doit s'enchaîner, puisque tout est « écrit là-haut » (l. 8).

Le maître : face à Jacques, le maître joue le rôle de faire-valoir. Il parle peu, questionne beaucoup (l. 15, 31, 33, 37, 40), sert d'interlocuteur qui permet de relancer la conversation sur un mot ou sur un épisode (« Et tu reçois la balle à ton adresse », l. 24, 36, 45). Il est, à ce titre, un personnage important.

Le capitaine : bien qu'absent, il semble jouer le rôle important de maître à penser pour Jacques. Ses idées, rapportées par celui-ci, sont nettement marquées par le déterminisme, comme le montrent les affirmations : « tout ce qui nous arrive de bien ou de mal ici-bas était écrit là-haut » (l. 7), « chaque balle qui partait d'un fusil avait son billet » (l. 10)...

Deux histoires et deux narrateurs

La première histoire est celle de la rencontre de Jacques et de son maître, de leur voyage ensemble : même si le narrateur ne veut pas donner de détails, l'histoire existe, les personnages sont présents. Cette première histoire a un narrateur que l'on peut considérer comme Diderot (celui qui s'adresse au lecteur dans les premières lignes). À cette première histoire vient s'en ajouter une seconde, celle que raconte Jacques à partir de la ligne 17 : les relations avec son père, la fuite, la blessure, les amours. Cette histoire se superpose à la première et semble même prendre toute l'importance dans le dialogue. À partir de la fin de l'extrait (« Jacques commença l'histoire de ses amours ») elle ouvre un récit dit « en abyme » : à l'intérieur d'une première histoire (celle de Jacques et de son maître) vient se développer un second récit, celui des amours de Jacques. Le texte, composé de deux histoires, comporte également deux narrateurs.

On remarque ainsi chez Diderot l'utilisation de données romanesques traditionnelles. Elles sont mises, comme les éléments originaux du texte, au service d'une réflexion sur la liberté.

3. UNE RÉFLEXION SUR LA LIBERTÉ

Le texte fait apparaître les notions contradictoires de hasard, de déterminisme et de liberté. C'est pour Diderot l'occasion de les confronter.

Le hasard

Le terme revient à plusieurs reprises (l. 1, l. 45). La première ligne du texte met en relief l'importance de ce « hasard » qui préside à toutes les rencontres. On peut penser que la notion de hasard intervient aussi dans l'évocation des épisodes de la vie de Jacques : le passage du régiment, par exemple. L'expression « Dieu sait... » (l. 26) laisse penser que plusieurs aventures étaient possibles et que c'est le hasard qui en a provoqué une. Mais ce hasard entre en contradiction avec le déterminisme.

Le déterminisme

Il joue un rôle important dans le texte puisqu'il domine les certitudes de Jacques et celles de son capitaine. Les formulations traduisent l'idée de nécessité : « était écrit » (l. 8), « chaque balle qui partait d'un fusil avait son billet » (l. 10), « chaînons d'une gourmette » (l. 28), « cela ne pouvait être dit ni plus tôt ni plus tard » (l. 39). Toutes ces affirmations soulignent que les choses doivent se passer sans que l'individu puisse avoir prise sur elles et qu'elles s'enchaînent dans une relation inévitable de cause à effet. Pourtant la notion de liberté est également envisagée dans le texte.

La liberté

C'est essentiellement celle du narrateur/auteur. Il a la liberté de ne pas informer son lecteur (l. 1-6), de construire son histoire comme il l'entend, ce dont témoigne la fantaisie de ce début de roman. Cette liberté entre cependant en conflit avec le déterminisme du personnage : si tout « est écrit », quelle est la liberté d'action de Jacques, et la liberté d'invention de Diderot? Et quelle est la liberté du lecteur qui se laisse guider par les deux narrateurs, Jacques, et Diderot? Le problème de la liberté touche à la fois les personnages, ce qu'ils incarnent, le narrateur qui raconte leur histoire et l'auteur qui est responsable de l'ensemble.

CONCLUSION

Dans ce début de roman, insolite et original, Diderot pose les bases d'une interrogation qui domine non seulement le roman mais toute son œuvre : quelle est la liberté de l'homme, qu'il soit être réel, personnage de roman, narrateur ou écrivain? S'il est déterminé, peut-on encore parler de liberté?

Le Rouge et le Noir (1830)

STENDHAL

Le roman *Le Rouge et le Noir* est, d'après son auteur, une « chronique du XIXe siècle » dont le titre s'explique ainsi : « Le rouge signifie que, venu plus tôt, Julien eût été soldat : mais à l'époque où il vécut, il fut forcé de prendre la soutane, de là le noir ». Le roman retrace en effet l'ascension sociale d'un jeune homme ambitieux, et grand admirateur de Napoléon, Julien Sorel, qu'un crime passionnel conduit à la mort. Cette ascension se fait en deux grandes étapes. La première se situe dans la petite ville de Verrières.

Une petite ville

Put thousands together.
Less bad,
But the cage less gay.
HOBBES[1].

La petite ville de Verrières peut passer pour l'une des plus jolies de la Franche-Comté. Ses maisons blanches avec leurs toits pointus de tuiles rouges s'étendent sur la pente d'une colline, dont
5 les touffes de vigoureux châtaigniers marquent les moindres sinuosités. Le Doubs coule à quelques centaines de pieds au-dessous de ses fortifications, bâties jadis par les Espagnols, et maintenant ruinées.

10 Verrières est abritée du côté du nord par une haute montagne, c'est une des branches du Jura. Les cimes brisées du Verra se couvrent de neige

1. Cette citation du philosophe anglais Hobbes constitue ce que l'on appelle une épigraphe. Sa traduction est la suivante : « Mettez des milliers de gens ensemble. Ce sera moins désagréable, mais la cage sera moins plaisante. »

dès les premiers froids d'octobre. Un torrent, qui se précipite de la montagne, traverse Verrières
15 avant de se jeter dans le Doubs, et donne le mouvement à un grand nombre de scies à bois; c'est une industrie fort simple et qui procure un certain bien-être à la majeure partie des habitants plus paysans que bourgeois. Ce ne sont pas cependant
20 les scies à bois qui ont enrichi cette petite ville. C'est à la fabrique des toiles peintes, dites de Mulhouse, que l'on doit l'aisance générale qui, depuis la chute de Napoléon, a fait rebâtir les façades de presque toutes les maisons de Verrières.

25 À peine entre-t-on dans la ville que l'on est étourdi par le fracas d'une machine bruyante et terrible en apparence. Vingt marteaux pesants, et retombant avec un bruit qui fait trembler le pavé, sont élevés par une roue que l'eau du torrent fait
30 mouvoir. Chacun de ces marteaux fabrique, chaque jour, je ne sais combien de milliers de clous. Ce sont de jeunes filles fraîches et jolies qui présentent aux coups de ces marteaux énormes les petits morceaux de fer qui sont rapidement trans-
35 formés en clous. Ce travail, si rude en apparence, est un de ceux qui étonnent le plus le voyageur qui pénètre pour la première fois dans les montagnes qui séparent la France de l'Helvétie. Si, en entrant à Verrières, le voyageur demande à qui appartient
40 cette belle fabrique de clous qui assourdit les gens qui montent la grande rue, on lui répond avec un accent traînard : *Eh! elle est à M. le maire.*

INTRODUCTION

Le chapitre premier, intitulé « Une petite ville », débute par la présentation de Verrières : aspect esthétique et situation géographique. Cette présentation s'oriente ensuite vers des informations d'ordre économique. Elle fait allusion aux habitants, puis plus précisément à l'un d'entre eux, doublement associé à la ville. Il est en effet non seulement le propriétaire d'une importante fabrique, mais aussi le maire. L'organisation du texte, et les éléments qui se révèlent à la première lecture peuvent en orienter l'étude dans les trois directions suivantes :
- une structure allant d'une vision large à un personnage précis;
- le caractère informatif du texte;
- une présentation élogieuse de l'environnement urbain et humain.

1. UNE STRUCTURE ALLANT D'UNE VISION LARGE A UN PERSONNAGE PRÉCIS

Le texte est construit en trois paragraphes de longueur différente, dont chacun commence par une allusion à la ville : le mot « Verrières » ou le mot « ville » apparaissent aux lignes 1, 10 et 25. Mais l'angle de vision n'est pas le même.

Une vision de loin

Dans le premier paragraphe, la ville semble vue de loin, et ce que perçoit le lecteur, en situation d'observateur extérieur, est un ensemble d'éléments donnés au pluriel (« maisons », l. 2, « toits » l. 3, « châtaigniers » l. 5, « fortifications » l. 7). L'accent est mis sur les couleurs (« blanches » l. 3, « rouges » l. 4) et sur les formes (« pointus », l. 3, « colline » l. 4, « touffes » l. 5, « sinuosités » l. 6).

Des indications géographiques, de l'extérieur vers l'intérieur

Dans le deuxième paragraphe, des indications géographiques générales (« montagne », « Jura » l. 11, « cimes » l. 12) attirent l'attention sur la présence d'un élément important sur le plan économique, le « torrent » (l. 13). La description géographique est alors suivie d'informations d'ordre économique : il est question de l'industrie et des habitants. Toutes les informations sont données par un narrateur omniscient qui connaît non seulement la situation géographique et historique mais aussi le niveau de vie et ses causes.

L'intérieur de la ville

Le troisième paragraphe met le lecteur en situation de voyageur invité à entrer dans la ville par la formule « À peine entre-t-on dans la ville » (l. 25). Celle-ci est d'ailleurs reprise par l'expression « en entrant à Verrières » (l. 38). Le texte est alors marqué par l'insistance sur les perceptions auditives, exprimées par un ensemble de termes appartenant au champ lexical du bruit (« fracas » l. 26, « bruyante » l. 26, « bruit » l. 28, « assourdit » l. 40). Placé à l'intérieur de la ville, le lecteur/voyageur découvre, par le biais de la présentation qui lui en est faite, une usine particulière et son propriétaire.

La vision d'ensemble s'est ainsi rétrécie : d'une vision large (la ville vue de loin), le lecteur est passé à une vision intérieure, qui le met en contact avec la vie économique et avec un personnage particulier. Ce dernier est mis en relief par l'utilisation du style direct et par la graphie en italique de la toute dernière phrase (l. 42). La structure du texte aboutit ainsi à l'évocation d'un personnage présenté comme important, économiquement et administrativement, dans une ville décrite préalablement.

2. LE CARACTÈRE INFORMATIF DU TEXTE

La structure du texte fait apparaître un lieu et des gens. Il présente ainsi le décor de l'action romanesque et donne au lecteur des informations portant sur des domaines différents.

Une situation géographique précise

La ville qui constitue le décor est présentée géographiquement. Ce souci de précision se traduit par l'emploi de termes géographiques comme le nom de la province (« Franche-Comté » l. 2), de la montagne (« Jura » l. 11), d'un sommet (le « Verra » l. 12), d'un fleuve (le « Doubs » l. 6, 15). Le relief est rendu par d'autres termes appartenant eux aussi au vocabulaire de la géographie (« colline » l. 4, « haute montagne » l. 11, « torrent » l. 13). L'ensemble est précisé par des notations relatives aux positions des éléments les uns par rapport aux autres (« sur » l. 4, « à quelques centaines de pieds » l. 6, « du côté du nord » l. 10, « traverse » l. 14). Ces précisions permettent de situer la ville. Elles sont accompagnées d'informations de type historique.

Des informations historiques

À deux reprises sont données des références permettant une situation historique. Il est fait allusion, mais sans date, à la présence espagnole (l. 8). Le passé est signalé par l'adverbe « jadis » (l. 8) et l'information rappelle une période de guerres par le mot « fortifications » (l. 7). L'autre allusion renvoie (l. 22) à 1815 et souligne les modifications (reconstruction soulignée par « rebâtir ») intervenues depuis cette époque. Mais il n'est pas possible de situer ce début de roman par rapport à 1815. Cet incipit ne répond pas précisément à la question « Quand? ».

Des informations d'ordre économique

En revanche, le texte comporte de nombreuses informations sociales et économiques. Il est question des ressources économiques de la ville et du niveau de vie de ses habitants, qui en est la conséquence.

L'industrie : le texte apprend au lecteur la présence (explicable par le torrent) d'une industrie du bois. L'expression « scie à bois » est récurrente (l. 16, l. 20) avec une insistance sur la multiplicité. Bien qu'importante, puisque bien représentée, cette industrie n'est pas la seule. La présentation met l'accent sur une industrie plus importante encore. La hiérarchisation est marquée par la négation (« Ce ne sont pas » l. 19), par l'adverbe d'objection (« cependant » l. 19) et par le présentatif « c'est [...] que » (l. 20). Plus importante est en effet l'industrie textile (« fabrique des toiles peintes » l. 21), précisée par son origine (« dites de Mulhouse » l. 21). Mais si l'on en juge par la place qui lui est accordée dans le texte, c'est la fabrique de clous qui semble l'élément essentiel (l. 25-42). Le narrateur en précise le bruit omniprésent, en donne une description (les marteaux, la roue), et en souligne le caractère original, par l'insistance sur l'étonnement et sur la curiosité des visiteurs. Le verbe « étonner », la question posée par le voyageur rappellent l'importance de la fabrique.

Le niveau de vie : le souci de précision et d'information se marque également dans les informations concernant la vie des habitants. On note plusieurs termes appartenant au vocabulaire économique : « bien-être » (l. 18), « ont enrichi » (l. 20), « aisance générale » (l. 22), « rebâtir » (l. 23). L'insistance sur la fabrique de clous, par l'indication, imprécise, mais importante, du chiffre de production journalière (« chaque jour je ne sais combien de milliers » l. 30) donne de la ville une image de prospérité.

3. UNE IMAGE VALORISÉE DE L'ENVIRONNEMENT URBAIN ET HUMAIN

De manière générale, la tonalité du texte est élogieuse. La ville est présentée comme attrayante, et les gens y semblent aisés.

Un souci de valorisation esthétique des lieux

Le ton est donné dès la première phrase par l'utilisation du superlatif (« l'une des plus jolies » l. 2), qui est justifié par les précisions qui suivent. L'indication de couleurs contrastées, de formes agréables, souligne une alliance entre les éléments urbains et la nature (premier paragraphe surtout). La vision large de la ville, entourée de montagnes neigeuses (l. 12-13) donne une image de carte postale, dont le pittoresque est accentué par la présence du torrent. Cette valorisation esthétique se retrouve chez les personnages à travers la présentation élogieuse des jeunes filles (« fraîches et jolies » l. 32).

L'insistance sur le bien-être

Si les lieux sont accueillants et beaux, les habitants de la ville sont présentés, eux, à travers une aisance enviable. L'accent est mis, dans le texte, sur l'activité enrichissante et l'on observe que ce monde qui relève de l'industrie est présenté sous une forme riante et agréable. Il est en effet question d'industrie « fort simple », la fabrique de clous n'apparaît pas comme un univers sombre et misérable. Le narrateur insiste surtout sur l'apparence (le terme est employé deux fois l. 27 et 35) et sur ce que l'on perçoit de l'extérieur (le bruit, l'image des jeunes filles). La notion d'assourdissement, pourtant mise en relief (« étourdi » l. 26, « assourdit » l. 40) ne semble pas avoir de connotation péjorative. On peut d'ailleurs s'interroger sur la coexistence de notions qui peuvent paraître opposées, comme la « fraîcheur » des jeunes filles et le fracas assourdissant de la fabrique. N'y aurait-il pas là une certaine ironie du narrateur?

CONCLUSION

L'impression générale donnée par la présentation de Verrières est celle d'un cadre esthétique, économiquement et géographiquement favorisé, dominé par la présence d'un personnage. Le lecteur qui entre dans le roman est informé du décor et du contexte : ses questions peuvent porter sur la justification de cette présentation et sur l'importance jouée par le personnage qui apparaît en dernier, le maire. Mais il lui faudra lire le roman pour découvrir l'importance respective de la montagne, des bourgeois conformistes, des scieries, du maire et de l'aspect paisible de la « petite ville ».

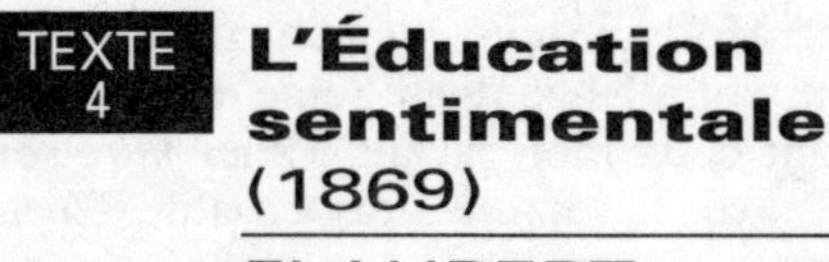

TEXTE 4

L'Éducation sentimentale (1869)

FLAUBERT

L'Education sentimentale est un roman qui retrace l'histoire d'une génération, celle de 1820. Ambitieuse et avide de réussir, à l'image de Frédéric Moreau, le héros, elle est confrontée aux désillusions de la vie et de la politique. Le jeune homme qui apparaît dès l'incipit (c'est-à-dire dès les premières lignes du roman), nouveau bachelier rempli d'espoir, connaît ainsi un triple échec, sur le plan affectif, sur le plan professionnel et sur le plan idéologique.

I

Le 15 septembre 1840, vers six heures du matin, la *Ville-de-Montereau,* près de partir, fumait à gros tourbillons devant le quai Saint-Bernard.

Des gens arrivaient hors d'haleine; des barriques, des câbles, des corbeilles de linge gênaient la circulation; les matelots ne répondaient à personne; on se heurtait; les colis montaient entre les deux tambours, et le tapage s'absorbait dans le bruissement de la vapeur, qui, s'échappant par les plaques de tôle, enveloppait tout d'une nuée blanchâtre, tandis que la cloche, à l'avant, tintait sans discontinuer.

Enfin le navire partit; et les deux berges, peuplées de magasins, de chantiers et d'usines, filèrent comme deux larges rubans que l'on déroule.

Un jeune homme de dix-huit ans, à longs cheveux et qui tenait un album sous son bras, restait auprès du gouvernail, immobile. À travers le brouillard, il contemplait des clochers, des édifices dont il ne savait pas les noms; puis il embrassa, dans un dernier coup d'œil, l'île Saint-Louis, la Cité, Notre-Dame : et bientôt, Paris disparaissant, il poussa un grand soupir.

M. Frédéric Moreau, nouvellement reçu bachelier, s'en retournait à Nogent-sur-Seine, où il devait
25 languir pendant deux mois, avant d'aller *faire son droit.* Sa mère, avec la somme indispensable, l'avait envoyé au Havre voir un oncle, dont elle espérait, pour lui, l'héritage; il en était revenu la veille seulement; et il se dédommageait de ne pouvoir séjour-
30 ner dans la capitale, en regagnant sa province par la route la plus longue.

PISTES DE LECTURE

INTRODUCTION

Le roman s'ouvre sur une scène d'embarquement, exactement datée et localisée. Cette présentation permet au lecteur de découvrir, par tout un jeu de points de vue, le héros, d'abord dans une situation précise puis de manière plus générale. Ces données, explicites, contiennent en outre un certain nombre d'éléments non précisés, mais sous-jacents, qu'il est intéressant d'envisager. On pourra donc étudier le texte selon les axes suivants :

- l'alternance des points de vue et des angles de vision;
- les informations du texte;
- les implicites sociaux, culturels et romanesques.

1. L'ALTERNANCE DES POINTS DE VUE ET DES ANGLES DE VISION

En cinq paragraphes très inégaux, le texte fait alterner des modalités d'écriture différentes, récit, description, présentation explicative, selon des points de vue différents.

La vision, de l'extérieur, d'une scène d'embarquement et d'un personnage

Elle occupe les trois premiers paragraphes et se poursuit jusqu'à la ligne 18. Le narrateur, omniscient, rapporte, en un véritable tableau, une scène animée à laquelle assiste le lecteur, de l'extérieur. L'animation est rendue par une abondante ponctuation (virgules et points-virgules), morcelant des phrases courtes. La diversité des actions et des mouvements se révèle dans le nombre important de verbes d'action (« fumait » l. 2, « arrivaient » l. 4, « heurtait » l. 7, « montaient » l. 7, « enveloppait » l. 10) dont les sujets sont alternativement des choses ou des êtres. L'accent est mis non seulement sur les perceptions visuelles, actions, mouvements, couleurs (toute la scène est vue par le lecteur/spectateur), mais aussi sur les perceptions auditives. De nombreux termes soulignent l'existence d'un véritable vacarme (« tapage », « bruissement », « cloche », « tintait »). Le lecteur est invité à assister, dans le bruit et l'agitation, au départ d'un bateau. La vision de l'extérieur englobe également le paysage perçu après le départ (les berges et leurs entrepôts l. 13-15) ainsi que la silhouette du jeune homme décrit dans les lignes 16 et 17. Un resserrement du champ de vision attire brusquement l'attention sur lui, et il est présenté en une phrase qui fait de lui un être solitaire, dans une attitude romantique (solitude, immobilité). C'est alors à travers son regard que sont présentés certains éléments du décor, par un phénomène de focalisation interne[1].

La vision perçue par le jeune homme, depuis le bateau (l. 18-23)

À la vision de la scène d'embarquement et du départ, de l'extérieur, à laquelle était tout d'abord convié le lecteur, succède celle qu'a un personnage qui se trouve sur le bateau. Le point de vue et l'angle de vision changent alors. Le caractère différent de la focalisation est souligné par l'emploi des verbes « contemplait » (l. 19) et « embrassa » (l. 20) dont le sujet est « il », représentant le jeune homme. Le lecteur découvre alors ce que perçoit le jeune homme, des monuments inconnus, puis d'autres, qui sont cités par leurs noms, dans une énumération

1. On parle de « focalisation interne » lorsqu'une scène, ou un paysage sont perçus à travers le regard d'un personnage et non par le lecteur directement.

« l'île Saint-Louis, la Cité, Notre-Dame » (l. 20-21). Le choix des termes (« contemplait », « soupir » l. 18, 22) suggère un sentiment d'admiration, puis l'expression d'un regret dû, peut-être, à l'éloignement progressif. Cet éloignement est marqué par deux termes soulignant la séparation, l'adjectif « dernier » (l. 20) et le participe « disparaissant » (l. 21).

L'explication donnée par le narrateur

Le dernier paragraphe, dans lequel le narrateur redevient omniscient, est consacré à la présentation du jeune homme, avec des précisions sur son identité et sur les raisons de sa présence sur le bateau. Le jeu sur les temps des verbes permet à la fois l'anticipation, par l'utilisation d'un auxiliaire (« devait languir » l. 25) et le retour en arrière par l'emploi du plus-que-parfait (« l'avait envoyé », « était revenu » (l. 27 et 28).

2. LES INFORMATIONS DU TEXTE

À travers les différences de point de vue, de nombreuses informations sont données au lecteur. Elles le renseignent sur la date, les lieux, les gens et sur ce qui les lie.

Les données temporelles

Elles sont nombreuses et précises, mais situées sur des plans différents.

Situation temporelle des événements : le tout début du passage (et donc du roman) est l'indication d'une date « Le 15 septembre 1840 », qui situe les événements de manière historique. La date est précisée par l'indication de l'heure, approximative (« vers six heures du matin »). Ces informations permettent une situation historique et ancrent la fiction romanesque dans l'histoire contemporaine de l'auteur.

Situation du héros dans le temps : d'autres informations temporelles importantes concernent le personnage du « jeune homme ». Ces informations sont celles de son âge (« dix-huit ans » l. 15), de son retour du Havre (« la veille » l. 28), de son avenir proche (« pendant deux mois » l. 25). Ces indications sont données par rapport au jour considéré, qui sert de référence chronologique et temporelle.

Les données spatiales

Elles sont fluctuantes, avec cependant une référence fixe, qui est Paris. La première indication permettant une localisation est celle du quai (« quai Saint-Bernard, l. 3) sans indication de ville. À la scène qui se déroule sur le bateau et autour de lui succède un tableau des rives, tel qu'il est vu du bateau (« deux berges » comparées à des « rubans »). Le lecteur est informé de l'itinéraire suivi par le bateau de Paris, vu de loin, à Nogent-sur-Seine, destination du jeune homme. Il s'agit d'une traversée fluviale, qui a été précédée, comme le soulignent les informations du dernier paragraphe, d'un voyage du jeune homme au Havre.

Le personnage

Il apparaît d'abord en situation, mais de manière anonyme (« Un jeune homme de dix-huit ans ») et seulement à la ligne 15. Sa présentation se réduit à une silhouette, avec cependant deux précisions importantes. Sa coiffure (« cheveux longs ») et la présence d'un album de dessin suggèrent un côté artiste. Ces premières informations sont précisées ensuite par des détails : son identité (« M. Frédéric Moreau » l. 23), son statut (« nouvellement reçu bachelier » l. 23) et son avenir proche (*« faire son droit »* l. 26), expression mise en relief par la graphie en italique, reprenant sans doute la formulation employée par la mère. Le dernier paragraphe comporte une assez forte densité d'informations concernant en particulier les problèmes financiers (l'espoir d'un héritage) et la situation affective du jeune homme. Celle-ci était d'ailleurs déjà mise en évidence dans le texte : nostalgie suggérée par le soupir et le chagrin à l'idée de retourner en province.

Très précis en ce qui concernait la scène d'embarquement, le récit s'est orienté vers un personnage dont le lecteur peut penser qu'il est le héros. Informatif, le texte comporte aussi des éléments implicites auxquels un lecteur peut être sensible.

3. LES ÉLÉMENTS IMPLICITES DU TEXTE

Ils ne sont pas perceptibles de la même façon pour tous les lecteurs. Si l'on associe l'époque (1840), l'âge du jeune homme (dix-huit ans) et sa situation (bachelier s'apprêtant à faire ses études à Paris), on peut regrouper des données récurrentes de la société et de la littérature romanesque du XIXe siècle. On peut alors supposer des caractères romantiques chez Frédéric, un tempérament rêveur et artiste, l'attente du bonheur et de la réussite, l'espoir d'une rencontre. L'époque à laquelle il est présenté est en effet caractérisée par ces éléments culturels. Son histoire risque de prendre la forme, à cause de tous ces éléments, d'un roman d'apprentissage[1]. On peut deviner aussi la fascination exercée par Paris, pôle de toutes les réussites au XIXe siècle, et la menace de problèmes d'argent.

Ce début de roman est ainsi chargé de tout un poids social et culturel en même temps que romanesque. Informatif, il donne des éléments très explicites, sans indiquer d'orientation précise. Mais il en suggère assez pour que le lecteur s'intéresse au sort d'un jeune homme de dix-huit ans, qui attend beaucoup de la vie, mais qui redoute aussi l'ennui de la province et des vacances.

---

1. On appelle roman d'apprentissage un récit confrontant un héros en général adolescent aux difficultés de la vie sociale, affective et professionnelle.

TEXTE 5

Germinal (1885)

ZOLA

Treizième roman de la série des *Rougon-Macquart*, *Germinal* doit son titre au nom d'un mois du calendrier révolutionnaire (le mois de la germination). L'histoire est celle d'un jeune chômeur, Étienne Lantier. Embauché comme mineur, il découvre à la fois la vie très difficile des ouvriers de la mine et les idées sociales qui cheminent dans le prolétariat. Après l'échec d'une grève qu'il a organisée, il devra partir, meurtri, mais aussi mûri par l'expérience, non sans avoir semé les graines d'un avenir plus juste et peut-être plus heureux. L'incipit du roman retrace son arrivée, de nuit, à la mine.

Dans la plaine rase, sous la nuit sans étoiles, d'une obscurité et d'une épaisseur d'encre, un homme suivait seul la grande route de Marchiennes à Montsou, dix kilomètres de pavé coupant tout
5 droit, à travers les champs de betteraves. Devant lui, il ne voyait même pas le sol noir, et il n'avait la sensation de l'immense horizon plat que par les souffles du vent de mars, des rafales larges comme sur une mer, glacées d'avoir balayé des lieues de
10 marais et de terres nues. Aucune ombre d'arbre ne tachait le ciel, le pavé se déroulait avec la rectitude d'une jetée, au milieu de l'embrun aveuglant des ténèbres.

L'homme était parti de Marchiennes vers deux
15 heures. Il marchait d'un pas allongé, grelottant sous le coton aminci de sa veste et de son pantalon de velours. Un petit paquet, noué dans un mouchoir à carreaux, le gênait beaucoup; et il le serrait contre ses flancs, tantôt d'un coude, tantôt de l'autre, pour
20 glisser au fond de ses poches les deux mains à la fois, des mains gourdes que les lanières du vent d'est faisaient saigner. Une seule idée occupait sa tête vide d'ouvrier sans travail et sans gîte, l'espoir

que le froid serait moins vif après le lever du jour.
25 Depuis une heure, il avançait ainsi, lorsque sur la gauche, à deux kilomètres de Montsou, il aperçut des feux rouges, trois brasiers brûlant au plein air, et comme suspendus. D'abord, il hésita, pris de crainte; puis, il ne put résister au besoin doulou-
30 reux de se chauffer un instant les mains.

PISTES DE LECTURE

INTRODUCTION

L'ouverture de *Germinal* présente un personnage, encore anonyme, en situation de déplacement, la nuit, dans un contexte inhospitalier. Le récit, au passé, suit l'évolution spatiale et temporelle de ce personnage, inconnu. Cette démarche narrative permet au narrateur de montrer les lieux, tels qu'ils sont découverts, et de donner l'image du personnage, à la recherche d'un travail, d'un gîte et d'un peu de chaleur. Les caractères spécifiques de cet incipit peuvent orienter l'étude du passage dans les trois directions suivantes :
- une double évolution, spatiale et temporelle;
- la présentation d'un univers hostile;
- un personnage en situation.

1. UNE DOUBLE ÉVOLUTION, SPATIALE ET TEMPORELLE

Le texte est construit en fonction du déplacement du personnage : le lecteur en prend conscience par l'observation des indications de lieu, de temps et par la récurrence des verbes de mouvement.

Les indications de lieu

À l'intérieur d'un décor donné dès les premiers mots, sous la forme d'un complément circonstanciel (« Dans la plaine rase » l. 1) se précise un itinéraire. Celui-ci est signalé par l'indication d'une voie de communication et d'une longueur (« grande route », « dix kilomètres » l. 3-4). La progression du personnage est marquée par des repères relatifs à sa situation, comme « devant lui » (l. 5), « sur la gauche » (l. 25) ou précisant son point de départ et sa destination. Les noms propres permettent ainsi une identification géographique (« de Marchiennes à Montsou », l. 3, « de Marchiennes » l. 14, « à deux kilomètres de Montsou » l. 26). Ces données offrent au lecteur la possibilité de faire le calcul de la distance parcourue, dans une durée qui est elle-même précisée par les indications temporelles.

Les données temporelles et chronologiques

Tout comme les informations spatiales, elles sont générales ou relatives. Le contexte est indiqué dès le début du récit (« sous la nuit sans étoiles » l. 1). Le temps est ensuite précisé par des indications relatives : l'heure approximative du départ, « vers deux heures » (l. 14), la durée de la marche au moment de la découverte des lumières (« Depuis une heure » l. 25). D'autres précisions viennent s'insérer dans le récit, apportant des informations sur le personnage (« après le lever du jour », l. 24, « D'abord », l. 28, « puis », l. 29).

Les indications spatiales et temporelles permettent de situer un déplacement lui-même souligné par la récurrence des verbes de mouvement.

Les verbes de mouvement

Le déplacement du personnage est traduit par les verbes d'action, au passé. Ils sont assez nombreux, d'un bout à l'autre du texte : « suivait » (l. 3), « était parti » (l. 14), « marchait » (l. 15), « avançait » (l. 25). Les variations de temps soulignent soit le déroulement continu de l'action (verbes à l'imparfait), soit l'indication d'une antériorité, par l'utilisation du plus-que-parfait (« L'homme était parti » l. 14). La fin du texte suggère un arrêt après la découverte des lumières.

On note ainsi l'importance accordée au contexte spatio-temporel. En même temps que le narrateur présente le moment et les lieux, il insiste sur leur caractère inhospitalier.

2. UN UNIVERS HOSTILE

Les lieux traversés, le moment et la saison font du contexte sur lequel s'ouvre le roman un univers particulièrement difficile. L'utilisation des négations, les connotations dépréciatives de certains termes, les images et les métaphores traduisent avec un réalisme qui s'oriente parfois vers la tonalité épique les difficultés auxquelles se trouve confronté le personnage.

La nudité des lieux

L'accent est mis, en ce qui concerne les lieux, sur leur aspect vide et obscur, et par là même inhospitalier et effrayant. Des caractérisations de connotation dépréciative soulignent l'absence, comme le font les adjectifs « rase » (l. 1), « nues » (l. 10). Certains déterminants marquent l'inexistence (« Aucune » l. 10), aussi bien de vie que de lumière. On note en effet l'insistance sur l'obscurité (« sans étoiles » l. 1, « sol noir » l. 6, « ténèbres » l. 13). Cette nudité est accentuée par la métaphore de la mer, qui fait du personnage une sorte de marin perdu dans l'immensité maritime. Un champ lexical de la mer se développe autour des termes « mer » (l. 9), « jetée », « embrun » (l. 12).

La violence des éléments

Seul dans cette immensité, le personnage est confronté aux éléments que sont le vent et le froid. Leur violence est mise en relief par le choix des termes : « souffles » (avec un pluriel amplificateur), « rafales » (l. 8). Ces deux termes sont développés par la comparaison avec la mer, et par la métaphore (« lanières du vent » l. 21) qui souligne la cruauté cinglante des souffles. D'autres formes d'expression insistent sur le froid : des adjectifs et des participes (« glacées » l. 9, « grelottant » l. 15, « gourdes » l. 21), l'utilisation du terme lui-même (« froid » l. 24), l'insistance sur le besoin de chaleur (derniers mots du texte).

Ce contexte douloureux est présenté à travers la perception qu'en a le personnage, « l'homme », décrit dans une marche qui semble le rapprocher progressivement du lecteur.

3. UN PERSONNAGE EN SITUATION

Dans le décor se trouve un homme. Présenté sous cette dénomination (l. 3), il devient ensuite « L'homme » (l. 14) au fur et à mesure que le lecteur se familiarise avec lui.

Un être anonyme et solitaire

De ce personnage, le lecteur ne connaît d'abord rien. Il n'a pas de nom, pas d'identité, il est simplement en marche et n'existe qu'à travers les perceptions qu'il a du décor (indication des perceptions des lignes 6 et 7 par les termes « voyait », « sensation » et par l'insistance sur une approche visuelle du paysage). C'est seulement dans le second paragraphe que le personnage est présenté de manière un peu plus précise.

L'image de la pauvreté

Un des traits spécifiques de cet homme est son indigence. Celle-ci est marquée dans la description qui est faite de lui. L'inadaptation de ses vêtements usés (« coton aminci » l. 16), l'absence de bagages (en tout et pour tout quelques affaires dans « Un petit paquet » l. 17) s'expliquent par une situation bientôt précisée : chômage et errance (l. 23). L'expression « tête vide d'ouvrier sans travail et sans gîte » (l. 23) souligne par la triple négation (l'adjectif de connotation négative et la reprise de « sans ») le caractère misérable d'une condition génératrice de souffrance. Le texte se termine sur l'image d'une pause, dans le déplacement, et peut-être dans la souffrance. L'apparition soudaine de lumières et de sources de chaleur semble apporter à l'homme une sorte d'abri, de réconfort. On peut observer que la découverte est assez brutale et que le comportement du personnage change alors (« D'abord » l. 28, « puis » l. 29, hésitation puis décision).

CONCLUSION

Finalement, le lecteur, curieux de l'identité et du passé du personnage, apitoyé par sa condition, attend une suite qu'il espère réconfortante, même si la relation entre le titre et ce début peut lui paraître bien mystérieuse.

TEXTE 6

Pierre et Jean (1888)

MAUPASSANT

Dans *Pierre et Jean,* Maupassant raconte comment un événement inattendu, l'arrivée soudaine d'un héritage, sème le trouble dans une famille d'apparence très unie jusque-là. Le titre du roman est constitué des prénoms des deux frères, entre lesquels existe une rivalité que l'héritage exacerbe. Le déroulement du récit prend la forme d'une véritable enquête menée par Pierre, à la recherche d'une vérité qu'il souhaite et redoute à la fois.

I

« Zut! » s'écria tout à coup le père Roland qui depuis un quart d'heure demeurait immobile, les yeux fixés sur l'eau, et soulevant par moments, d'un mouvement très léger, sa ligne descendue au
5 fond de la mer.

Mme Roland, assoupie à l'arrière du bateau, à côté de Mme Rosémilly invitée à cette partie de pêche, se réveilla, et tournant la tête vers son mari :

« Eh bien,... eh bien,... Gérôme! »

10 Le bonhomme, furieux, répondit :

« Ça ne mord plus du tout. Depuis midi je n'ai rien pris. On ne devrait jamais pêcher qu'entre hommes; les femmes vous font embarquer toujours trop tard. »

15 Ses deux fils, Pierre et Jean, qui tenaient, l'un à bâbord, l'autre à tribord, chacun une ligne enroulée à l'index, se mirent à rire en même temps et Jean répondit :

« Tu n'es pas galant pour notre invitée, papa. »

20 M. Roland fut confus et s'excusa :

« Je vous demande pardon, madame Rosémilly, je suis comme ça. J'invite les dames parce que j'aime me trouver avec elles, et puis, dès que je sens de l'eau sous moi, je ne pense plus qu'au pois-
25 son. »

Mme Roland s'était tout à fait réveillée et regardait d'un air attendri le large horizon de falaises et de mer. Elle murmura :

« Vous avez cependant fait une belle pêche. »

30 Mais son mari remuait la tête pour dire non, tout en jetant un coup d'œil bienveillant sur le panier où le poisson capturé par les trois hommes palpitait vaguement encore, avec un bruit doux d'écailles gluantes et de nageoires soulevées, d'efforts 35 impuissants et mous, et de bâillements dans l'air mortel.

PISTES DE LECTURE

INTRODUCTION

Le début de *Pierre et Jean* jette le lecteur *in medias res,* c'est-à-dire dans une scène dont le déroulement est déjà commencé. Le premier mot du roman, une interjection, est aussi le signal d'un changement de situation. Le lecteur fait alors connaissance avec des personnages réunis sur un bateau pour une partie de pêche. L'alternance de récit et de dialogue lui permet de découvrir des éléments relatifs au contexte et aux personnages sans qu'il sache encore quelle en est l'importance. L'étude de cet incipit peut se faire selon les trois axes suivants :

- l'expression d'un changement de situation;
- l'alternance du récit et du discours rapporté directement;
- les informations données par cette entrée en matière.

1. L'EXPRESSION D'UN CHANGEMENT DE SITUATION

Le caractère soudain de l'interjection qui ouvre le texte (et le roman) « Zut! » attire l'attention du lecteur sur quelque chose qui ressemble à une prise de conscience soudaine, une sorte de réveil. L'idée d'un changement de situation est soulignée dans le texte par le jeu sur les temps verbaux et par une comparaison entre ce qui se passait avant et ce qui se passe alors.

L'expression de la soudaineté

La soudaineté est marquée par l'emploi de la locution adverbiale « tout à coup » (l. 1) et par la récurrence du passé simple, par opposition à l'imparfait insistant davantage sur une durée. Les réactions des différents protagonistes sont exprimées par « s'écria » (l. 1), « répondit » (l. 10, l. 18), « se mirent » (l. 17), « fut » (l. 20). Elles appartiennent toutes au domaine de la parole, comme si l'interjection, le « Zut! » du début, avait soudain fait renaître une conversation « assoupie ». Les réactions verbales des personnages soulignent la différence de situation.

La différence entre deux situations

Les paroles échangées à la suite du « Zut! » soulignent une différence par rapport à une situation antérieure. Celle-ci est caractérisée par le silence, l'immobilité, le sommeil. On remarque en effet l'existence, tout au long du texte, d'un champ lexical du sommeil et de l'assoupissement, soulignant l'état antérieur des personnages. Pour les uns il s'agit d'immobilité (le père Roland est qualifié « d'immobile » l. 2); pour les autres, le sommeil est exprimé ou suggéré (« assoupie » l. 6, « se réveilla » l. 8, « réveillée » l. 26). La modification de situation est également mise en relief par des notations temporelles et négatives comme « plus du tout » (« Ça ne mord plus du tout » l. 11), « Depuis midi je n'ai rien pris » (l. 11). Les notations qui marquent le changement sont données tantôt par le narrateur, tantôt par les personnages. Le texte est en effet caractérisé par une alternance de récit et de dialogue.

2. L'ALTERNANCE RÉCIT/DIALOGUE

La présentation typographique du texte (nombreux alinéas) et la présence récurrente des guillemets font apparaître d'emblée deux modalités d'écriture : le récit et le dialogue rapporté au style direct. Le récit est fait par un narrateur omniscient qui informe le lecteur et lui donne des explications. Le dialogue actualise la situation en rapportant les paroles telles qu'elles sont supposées avoir été prononcées (il ne faut pas oublier en effet que le roman se situe dans la fiction).

Les paroles rapportées directement

Elles se situent aux lignes 1, 9, 11-14, 19, 21-25, 29 et sont typographiquement marquées par des guillemets. Les sujets grammaticaux des verbes d'affirmation montrent que les interlocuteurs sont différents (le père Roland, Mme Roland, et Jean). Le dialogue situe l'action dans le présent vécu – les verbes sont au présent ou au passé composé. Il met le lecteur en situation d'auditeur présent, assistant à une discussion prise sur le vif. Il donne au texte une grande vivacité et une véritable authenticité.

Le récit

Il crée une alternance avec le dialogue, auquel il apporte toutes sortes de précisions. Il est fait par un narrateur qui sait tout de ses personnages, de leur passé immédiat (que ne connaît pas le lecteur), de leurs liens familiaux et affectifs, des lieux où ils se trouvent, des raisons pour lesquelles ils s'y trouvent. Le récit est mené au passé (verbes à l'imparfait ou au passé simple) ce qui situe l'histoire à une époque non précisée.

Il faut cependant remarquer que ce récit ne rapporte pas réellement une succession d'actions situées chronologiquement les unes par rapport aux autres. Il insiste surtout sur un échange de paroles, met en place un contexte (la partie de pêche en mer), présente des personnages en situation (une scène familiale en présence d'une invitée) et crée une atmosphère, qui semble être celle d'une harmonie générale. C'est de l'alternance du récit et du discours que le lecteur, mis en situation de témoin, tire un certain nombre d'informations.

3. LES INFORMATIONS DU TEXTE

Le récit d'une scène entrecoupée de dialogues apporte au lecteur un certain nombre d'informations. Ce qu'il apprend concerne surtout le présent immédiat, le passé très récent et les personnages, pris dans l'actualité de la scène de pêche.

Les données spatio-temporelles

Elles sont données de manière progressive, un peu à la manière d'un « puzzle » dont le lecteur regrouperait les morceaux. Il apprend ainsi que la scène se situe à proximité de l'eau (« les yeux fixés sur l'eau » l. 3), information qui se précise par l'indication « à l'arrière du bateau » (l. 6), par le verbe « embarquer » (l. 13), par les termes « bâbord » et « tribord » (l. 16), qui appartiennent au lexique de la marine. D'autres précisions spatiales, telles que « l'eau sous moi » (l. 24) et l'allusion à l'horizon des falaises et de la mer (l. 26-27) confirment qu'il s'agit d'une scène de pêche en mer et que les personnages se trouvent à bord d'un bateau. Mais rien n'indique de quelle mer ou de quelle côte il s'agit.

En ce qui concerne le temps, les données sont relatives : « depuis un quart d'heure » (l. 2), « Depuis midi » (l. 11). Le lecteur peut en déduire que la scène se passe l'après-midi et qu'elle a sans doute commencé dans la matinée, période pendant laquelle, semble-t-il, la pêche a dû être bonne (la fin du texte attire l'attention sur le poisson pris).

Les personnages

Ils sont au nombre de cinq, facilement identifiables par les indications précises concernant les liens familiaux. Se trouvent sur le bateau les parents, M. et Mme Roland, une invitée, Mme Rosémilly et les deux fils, Pierre et Jean, cités à la ligne 15 sous une forme qui reprend le titre du roman. Les personnages apparaissent dans le texte à tour de rôle (l. 1, 6, 7, 15), et des éléments donnés par le dialogue ou par le récit permettent au lecteur d'en savoir un peu plus à leur sujet que leur stricte identité, sauf en ce qui concerne Mme Rosémilly.

Le père (Gérôme Roland) : son comportement ne semble pas tenir compte de la présence des autres, comme le soulignent le rappel à l'ordre de sa femme (« Eh bien, ... eh bien, ... » l. 9), sa colère (il est « furieux » l. 10) et ses remarques sur la présence gênante des femmes (« les femmes vous font embarquer toujours trop tard » l. 13). C'est un trait de caractère qu'il souligne d'ailleurs lui-même (« je ne pense plus qu'au poisson » l. 24). La contradiction exprimée à la fin du texte entre les dénégations (« son mari remuait la tête pour dire non » l. 30) et le regard jeté sur le poisson (« un coup d'œil bienveillant » l. 31) souligne une sorte de duplicité chez ce personnage.

Mme Roland : le lecteur n'apprend que peu de choses sur elle : son souci de la politesse (l. 9), son caractère rêveur (l. 27), sa volonté d'éviter les conflits (l. 29). Les indications du texte peuvent suggérer au lecteur qu'elle est sentimentale.

Les deux fils : on peut observer qu'ils sont d'abord présentés de manière strictement identique, comme s'il n'y avait pas de différence entre eux. Le phénomène est perceptible à la formulation choisie par le narrateur aux lignes 15 à 18 : regroupement avec le terme « deux », dissociation par les prénoms, mais stricte égalité avec « l'un » et « l'autre » et insistance sur la similitude des apparences et des réactions (« chacun une ligne... », « se mirent à rire en même temps », l. 16-17). On note cependant une différence puisque Jean est le seul à intervenir, ce qui marque peut-être son intérêt pour Mme Rosémilly (qui ne dit rien).

CONCLUSION

Le lecteur qui ouvre le roman *Pierre et Jean* se trouve être, brusquement, le témoin privilégié d'une scène familiale prise en plein déroulement, et qui le laisse un peu perplexe. Il se demande en effet ce qui va suivre, sans avoir d'idée précise à ce sujet. Tout au plus peut-il se dire que l'harmonie familiale laisse transparaître quelques tensions sous-jacentes, et que les images réalistes qui terminent le passage (les poissons en train de mourir) ont peut-être un rôle prémonitoire. Mais rien ne l'oriente réellement dans cette direction. Il a donc tout à découvrir et surtout la relation entre le titre et les deux frères.

TEXTE 7

La Condition humaine (1933)

MALRAUX

L'intrigue de *La Condition humaine* se situe dans un contexte historique, celui de l'insurrection communiste de 1927 à Shanghai, en Chine. Le roman, qui traite de l'engagement politique, et qui met en scène des personnages très différents (Tchen, Kyo, Gisors, Katow...) est aussi une réflexion sur le sens de l'action et de la vie, thèmes chers à Malraux. L'incipit (c'est-à-dire les paragraphes qui ouvrent le roman), place le lecteur *in medias res*[1]. Cette scène d'ouverture mêle l'incertitude à l'angoisse.

21 mars 1927

Minuit et demi.

Tchen tenterait-il de lever la moustiquaire ? Frapperait-il au travers ? L'angoisse lui tordait l'estomac; il connaissait sa propre fermeté, mais n'était capable en cet instant que d'y songer avec
5 hébétude, fasciné par ce tas de mousseline blanche qui tombait du plafond sur un corps moins visible qu'une ombre, et d'où sortait seulement ce pied à demi-incliné par le sommeil, vivant quand même – de la chair d'homme. La seule lumière venait du
10 building voisin : un grand rectangle d'électricité pâle, coupé par les barreaux de la fenêtre dont l'un rayait le lit juste au-dessous du pied comme pour en accentuer le volume et la vie. Quatre ou cinq klaxons grincèrent à la fois. Découvert ? Com-
15 battre, combattre des ennemis qui se défendent, des ennemis éveillés !

1. C'est-à-dire dans une scène dont le déroulement est déjà commencé.

La vague de vacarme retomba : quelque embarras de voitures, (il y avait encore des embarras de voitures là-bas, dans le monde des hommes...). Il se
20 retrouva en face de la tache molle de la mousseline et du rectangle de lumière, immobiles dans cette nuit où le temps n'existait plus.

Il se répétait que cet homme devait mourir. Bêtement : car il savait qu'il le tuerait. Pris ou non,
25 exécuté ou non, peu importait. Rien n'existait que ce pied, cet homme qu'il devait frapper sans qu'il se défendît – car, s'il se défendait, il appellerait.

PISTES DE LECTURE

INTRODUCTION

Le début de *La Condition humaine* est précédé par deux indications temporelles, une date et une heure, qui ne sont cependant pas très éclairantes pour le lecteur. Quand il commence à lire le texte, il découvre un personnage confronté à une situation difficile – il s'apprête à tuer – dans un contexte nocturne, et dans un lieu clos. Le contexte nocturne et l'attitude du héros, marquée par l'incertitude et le doute créent une atmosphère angoissante. La lecture méthodique du texte pourra s'attacher aux aspects suivants :

– un personnage et le contexte où il se trouve;
– une situation et une atmosphère génératrices d'angoisse.

1. UN PERSONNAGE ET LE CONTEXTE OÙ IL SE TROUVE

L'attention du lecteur est immédiatement attirée vers un personnage dont le nom est le premier mot du roman, « Tchen ». Le passage relate ce qu'il ressent, ce qu'il fait, ce qu'il pense, dans une situation dont certains éléments sont précisés grâce au contexte.

Le personnage

Surpris par le lecteur dans une attitude d'hésitation face à l'action, le personnage est omniprésent dans le texte.

Son omniprésence : elle est marquée par la récurrence des pronoms personnels le désignant sous la forme « il » ou « lui » (sept occurrences aux lignes 1, 2, 3, 19, 23, 24, 26). On peut remarquer également que parfois « il » n'est pas exprimé : c'est le cas dans l'expression « n'était capable » (l. 4) ou lorsque les verbes sont au mode infinitif (« combattre », l. 14). La présence du personnage est également soulignée par le fait que certains détails semblent vus uniquement par lui (c'est ce que l'on appelle le procédé de la focalisation interne). De même, certaines perceptions auditives sont, exclusivement, les siennes. Ainsi, le pied, le lit, la moustiquaire semblent vus à travers le regard de Tchen, de même que l'on peut penser que c'est lui qui perçoit les sons extérieurs (les « klaxons » l. 14, le « vacarme » l. 17). On peut enfin ajouter que certains passages peuvent être considérés comme du discours indirect libre. Ainsi certaines expressions mettent en relief ce qu'il pense et ce qu'il se dit intérieurement : « Découvert ? Combattre, combattre des ennemis qui se défendent » (l. 15-16), « il y avait encore des embarras de voitures là-bas, dans le monde des hommes... » (l. 18).

L'hésitation face à l'action : l'attitude du personnage est présentée d'emblée comme ambiguë parce qu'elle est à la fois assurée et incertaine. L'assurance porte sur le meurtre présenté comme inéluctable : l'utilisation de l'auxiliaire « devoir » (l. 23 et 26), l'emploi du verbe « savoir » (« il savait qu'il le tuerait » l. 24) soulignent l'absence de doute quant au résultat de l'action. Ce qui est moins sûr, en revanche, c'est la manière de procéder et le moment. Le texte commence en effet par une double interrogation au conditionnel (« tenterait-il », « frapperait-il » l. 1-2) portant sur les modalités du meurtre. L'hésitation du héros est soulignée par l'opposition entre la connaissance et l'incapacité provisoire (« il connaissait [...] mais n'était capable » l. 3). Elle est également mise en relief par les deux infinitifs exclamatifs « Combattre, combattre » (l. 14-15) : ils peuvent en effet exprimer le souhait d'un combat régulier et l'hésitation devant le meurtre d'un homme sans défense (puisque endormi). Cette hésitation est rappelée par le verbe « il se répétait » (l. 23), qui marque l'autopersuasion.

Le contexte

Il est donné de manière fragmentaire et progressive, pour ainsi dire par détails successifs, selon un procédé presque cinématographique. Le lecteur découvre (sans doute en même temps que le héros) des éléments séparés : la « moustiquaire », le « plafond », un « pied ». Par un jeu de rétrécissement puis d'élargissement du champ visuel, apparaît alors l'extérieur (le « building voisin » l. 10). Sa présence souligne le caractère urbain du contexte, accentué par les allusions aux bruits de la ville (« klaxons » l. 14, « embarras de voiture » l. 17). Ainsi s'opère une sorte de va-et-vient de l'intérieur à l'extérieur : à l'intérieur, l'attention est centrée sur un lit, un homme, une moustiquaire, à l'exception de tout autre élément. L'extérieur est un contexte urbain vague et bruyant. La frontière entre les deux est marquée par la fenêtre, représentation symbolique de l'enfermement (allusion aux barreaux).

Les hésitations du personnage, la situation (un meurtre), le contexte nocturne sont à l'origine d'une atmosphère d'angoisse à l'image de celle que semble ressentir le héros lui-même.

2. UNE SITUATION ET UNE ATMOSPHÈRE GÉNÉRATRICES D'ANGOISSE

La lecture du texte fait naître une sorte de malaise : à celui du héros s'ajoute celui du lecteur, pour lequel subsistent, dans le texte, d'importantes zones d'ombre. L'information est en effet très incomplète.

Les incertitudes et le trouble

Les deux interrogations qui ouvrent le texte restent sans réponse. C'est une première source d'incertitude, aggravée par le fait que personne, hormis le narrateur (et le héros) ne sait de quoi il s'agit. L'angoisse présente, née d'une situation de violence (il s'agit en effet de « frapper ») est exprimée de manière métaphorique à la ligne 2 (par l'emploi du verbe « tordait »). Elle est reprise dans l'interrogation de la ligne 14 (« Découvert ? ») qui insiste sur une situation de clandestinité. Cette angoisse latente vient aussi de l'évocation des risques courus par le héros. L'alternative, soulignée par « Pris ou non, exécuté ou non » (l. 24), rappelle que la situation est dangereuse et qu'elle nécessite des précautions (empêcher que l'homme ne se défende, l. 26-27). L'angoisse s'exprime également à travers le caractère obsessionnel de la seconde présence humaine du texte, matérialisée par le « pied » (l. 7).

Le caractère obsessionnel du pied

Le pied est, dans le texte, l'élément révélateur d'une présence humaine, et joue un rôle primordial. Le lecteur perçoit cette importance à la récurrence du terme dans le texte (l. 7, 12, 26) et à la manière dont il est mis en relief. À la ligne 7, le pied (avec pour déterminant un démonstratif « ce ») mi-objet, mi-élément humain prend une forme cauchemardesque, comme dans certains contes fantastiques. Il est associé à la fois à la vie et à la mort (« vivant quand même » l. 8, « de la chair d'homme » l. 9, « rien n'existait que ce pied » l. 25). Plus on avance dans le texte, plus le pied prend d'importance, jusqu'à occuper la totalité de l'espace (l. 26).

Le jeu des oppositions

Il faut aussi remarquer que l'angoisse naît de plusieurs oppositions, lumière / ombre, monde fermé / monde ouvert, connaissance / ignorance.

L'ombre et la lumière : l'attention du lecteur, comme peut-être celle de Tchen, est attirée par ces jeux de contraste. La mise en évidence de la moustiquaire (« mousseline blanche » l. 5) et de la lumière venue de l'extérieur (« un grand rectangle d'électricité pâle » l. 10, « rectangle de lumière » l. 21) laisse supposer que l'intérieur est sombre, et de ce fait inquiétant. Cette opposition est accentuée par la juxtaposition de deux univers, la pièce, fermée, et la ville, ouverte.

L'intérieur et l'extérieur : le lit, le plafond, la moustiquaire sont des éléments de l'intérieur. À cet univers clos et angoissant, parce que lié au meurtre, s'oppose l'extérieur, associé à la liberté, un autre monde. L'image de cet

« autre monde » est donnée par l'expression « le monde des hommes » (l. 19), « là-bas » (l. 19), ce qui suggère l'existence d'un monde différent, moins angoissant, « normal ». La comparaison implicite souligne un état d'emprisonnement, faisant du héros, irrémédiablement, un être différent des autres. La juxtaposition de ces différentes oppositions fait du texte un récit à double facette. La situation est en effet vue de l'intérieur du personnage (ce qu'il pense et ce qu'il ressent, vus par un narrateur omniscient), et de l'extérieur. Témoin de ce qui se passe, le lecteur se trouve associé à l'angoisse que semble ressentir le personnage.

CONCLUSION

Les informations de ce début de roman font hésiter le lecteur quant à l'interprétation du passage. La première date (21 mars 1927), sans indication de lieu, peut lui rester étrangère. La deuxième précision (Minuit et demi) indique simplement une scène de nuit. Le projet de meurtre peut orienter celui qui ouvre le roman, logiquement, vers l'image d'un tueur à gage (éventuellement dans le contexte d'un roman policier). Quant à la moustiquaire et au nom du héros, ils suggèrent que la scène se passe dans un pays d'Orient.

Le manque de précision laisse donc le lecteur dans l'attente. Seule la suite de l'histoire pourra l'éclairer, et la lecture du roman dans son ensemble fera comprendre que cet incipit comporte déjà toute la signification symbolique de l'ouvrage : la notion d'enfermement, l'angoisse devant l'action qui donne un sens à la vie mais conduit à la mort, la difficulté morale et affective de la réalisation d'un projet décisif.

TEXTE 8

L'Étranger (1942)

CAMUS

Roman de l'absurde, *L'Étranger* met en scène un personnage représentatif des « anti-héros » du XXe siècle romanesque. Assez médiocre, pas du tout ambitieux, peu soucieux des conventions sociales, il mène une vie tranquille et simple, dominée par les plaisirs de l'amour et du contact avec la nature, mer et soleil. Auteur d'un meurtre commis sur la plage, dans l'éblouissement du soleil, il est condamné à mort. Mais on peut se demander si la raison majeure de cette condamnation n'est pas son étrange indifférence aux règles de la vie affective et sociale.

I

Aujourd'hui, maman est morte. Ou peut-être hier, je ne sais pas. J'ai reçu un télégramme de l'asile : « Mère décédée. Enterrement demain. Sentiments distingués. » Cela ne veut rien dire. C'était
5 peut-être hier.

L'asile de vieillards est à Marengo, à quatre-vingts kilomètres d'Alger. Je prendrai l'autobus à deux heures et j'arriverai dans l'après-midi. Ainsi, je pourrai veiller et je rentrerai demain soir. J'ai
10 demandé deux jours de congé à mon patron et il ne pouvait pas me les refuser avec une excuse pareille. Mais il n'avait pas l'air content. Je lui ai même dit : « Ce n'est pas de ma faute. » Il n'a pas répondu. J'ai pensé alors que je n'aurais pas dû dire cela. En
15 somme, je n'avais pas à m'excuser. C'était plutôt à lui de me présenter ses condoléances. Mais il le fera sans doute après-demain, quand il me verra en deuil. Pour le moment, c'est un peu comme si maman n'était pas morte. Après l'enterrement, au
20 contraire, ce sera une affaire classée et tout aura revêtu une allure plus officielle.

INTRODUCTION

Le tout début du roman *L'Etranger* est une phrase courte qui énonce, sur le mode du constat à la première personne, un événement grave sur le plan affectif. La suite du récit est caractérisée par l'absence de temporalité précise. Elle donne au lecteur quelques informations qui lui permettent de mieux connaître les circonstances et de mieux cerner quelques aspects déconcertants du narrateur. Ces différents éléments conduisent à construire l'étude de ce texte autour des axes suivants :
– un texte à la première personne, dans un temps indécis;
– le caractère informatif de l'extrait;
– un narrateur/héros déconcertant.

1. UN TEXTE À LA PREMIÈRE PERSONNE, DANS UN TEMPS INDÉCIS

La première personne

Les deux premiers mots de l'extrait, « Aujourd'hui » et « maman » (repris à la ligne 19), attirent l'attention du lecteur sur une énonciation à la première personne. L'adverbe de temps fait référence au présent de celui qui parle. Le mot « maman », sans déterminant possessif, renvoie également à la première personne. Cette énonciation est illustrée par la répétition des pronoms personnels « je » (l. 2, 7, 8, 9, 12, 14, 15) ou « me » (l. 11, 15, 16, 17) tout au long du texte. Mais le lecteur peut s'interroger : s'agit-il d'un récit romanesque à la première personne, de la rédaction d'un journal intime, d'une conversation rapportée au style direct ? Il lui est difficile de répondre à cette question et les problèmes posés par la notion de temps dans le texte ne l'aident pas beaucoup.

Les problèmes posés par le temps

Le texte ne comporte en effet comme donnée temporelle que des données relatives, en relation avec le moment où écrit (ou encore parle) le narrateur, mais ce moment n'est pas connu. Quelle est la date du jour appelé dans le texte « Aujourd'hui » ? Le temps est exprimé, toujours de façon relative, de plusieurs manières, par les adverbes de temps, par des groupes nominaux et des conjonctions de subordination et par les temps verbaux. Mais cela permet seulement de situer certaines actions par rapport à d'autres.

Les adverbes de temps : ils sont assez nombreux, « Aujourd'hui », « hier » (l. 1, 2), « demain » (l. 3), « demain soir » (l. 9), « après-demain » (l. 17) « alors » (l. 14) « Pour le moment » (l. 18). On peut cependant remarquer qu'ils ne sont pas explicites puisqu'ils ont tous pour référence « Aujourd'hui », dont le lecteur ne sait rien. On peut également noter que l'utilisation de l'adverbe « peut-être » (l. 1 et 5) rend très problématique l'identification du moment.

Ces indications temporelles relatives sont complétées par des groupes nominaux et des conjonctions de subordination de temps : « à deux heures » (l. 8), « dans l'après-midi » (l. 8), « Après l'enterrement » (l. 19), « quand il me verra en deuil » (l. 17).

Les temps verbaux : les verbes sont à des temps qui font apparaître une assez grande variété. Le passé composé marque des actions passées définitivement terminées (« est morte » l. 1, « j'ai reçu » l. 2, « j'ai demandé » l. 9, « Je lui ai même dit » l. 12, « J'ai pensé » l. 14). Mais rien ne précise s'il s'agit d'actions proches ou lointaines dans le temps. Le futur insiste sur les projets proches du narrateur (« Je prendrai » l. 7, « j'arriverai » l. 8, « je rentrerai » l. 9).

L'ensemble de ces indications temporelles attire l'attention du lecteur sur une apparence de précision dans l'organisation des actions à partir d'une information (« Aujourd'hui l. 1), elle-même non précisée. Mais une chose est certaine, le début des faits coïncide avec le présent du narrateur. En ce qui concerne ces faits, le narrateur donne quelques précisions, qui informent le lecteur.

2. LE CARACTÈRE INFORMATIF DU TEXTE

Tout ce qu'apprend le lecteur en lisant les premières lignes de *L'Étranger* est subordonné à la première information donnée comme un simple constat « maman est morte » (l. 1). L'annonce de la mort est suivie de l'indication de quelques conséquences dans la vie du narrateur.

La mort de la mère

L'information ouvre le texte et constitue son thème essentiel. L'idée est reprise par la formulation du télégramme, qui exprime la mort en termes administratifs et objectifs (« Mère décédée » l. 3) et évoque ce qui suit, l'enterrement (l. 3). L'idée de la mort réapparaît dans le mot « veiller » (l. 9), qui fait naître l'image de la veillée mortuaire, dans l'évocation de l'enterrement, et du deuil (l. 18). D'autres informations complètent la première annonce et donnent quelques précisions.

Quelques circonstances de cette mort

Le lecteur prend connaissance du lieu de la mort (« l'asile » l. 3, précisé ensuite par « asile de vieillards » l. 6) et du lieu où se trouve cet asile (indication de la ville et de sa distance d'Alger, l. 6). Il peut en déduire, mais sans certitude, que le narrateur habite Alger.

Les conséquences sur la vie du narrateur

Le texte fait également état de décisions, en relation avec cette mort. Elles sont données avec précision et détermination. Le ton assuré est marqué par l'emploi répété du futur (« Je prendrai », « j'arriverai », « je rentrerai », l. 7-8), par l'indication précise des horaires (« deux heures », « après-midi », « demain soir » l. 8-9). Il s'agit d'une organisation qui ne connaît aucune incertitude. Les décisions touchent aussi la vie professionnelle du narrateur : demande de congé, observation de la réaction du patron (l. 12), paroles au style direct (l. 13) réflexions sur l'attitude du patron. Ces éléments occupent une part importante du texte, ce qui peut surprendre dans une situation comme celle du narrateur. Son attitude est en effet déconcertante.

3. L'ATTITUDE DÉCONCERTANTE DU NARRATEUR / HÉROS

Sa façon de s'exprimer, brève et sèche, les éléments qu'il privilégie dans ce récit font du narrateur / héros un personnage surprenant. On peut en effet s'étonner de son absence apparente d'affectivité.

L'absence de réactions sensibles

On aurait pu, après l'annonce de la mort, s'attendre à l'expression d'une émotion chez le narrateur. Or il n'y en a aucune : pas de termes appartenant au domaine de l'affectivité, pas de trace de chagrin exprimé. L'indifférence apparente du narrateur se révèle dans la brièveté objective et froide de la première phrase : « Aujourd'hui maman est morte ». On peut également remarquer le jugement « Cela ne veut rien dire » (l. 4) et l'ignorance, apparemment sans importance, du moment de la mort (« peut-être hier » exprimé deux fois). Ces deux éléments semblent renforcer l'absence totale de signification de l'événement pour le narrateur. On peut penser que, chez lui, l'organisation et le calcul du temps prennent le pas sur les sentiments. C'est en effet ce que suggèrent les projets qui occupent les quatre premières lignes du deuxième paragraphe.

Une surprenante hiérarchisation des centres d'intérêt

Si l'absence d'émotion est en elle-même surprenante, l'analyse que le narrateur fait de ses relations avec son patron l'est aussi. Il semble bien que le narrateur s'intéresse plus à ce que pense son patron qu'à la mort de sa propre mère. Le récit de l'entretien (depuis « J'ai demandé » jusqu'à « deuil » l. 9-18) le présente dans une situation de vague culpabilité dont il semblerait vouloir se défendre. Les termes « excuse » (l. 11), « faute » (l. 13),

« excuser » (l. 15), la formulation d'une sorte de repentir (« je n'aurais pas dû » l. 14) placent les relations employé / patron sur un plan moral. Or il s'agit d'une situation affective et administrative. Il semble très étonnant que le narrateur accorde une telle importance à cette scène. On peut aussi remarquer, à la fin de l'extrait, que la mort de la mère n'existe que sous une forme bureaucratique comme le soulignent les termes « affaire classée », « allure plus officielle » (l. 20, 21) et que le narrateur semble d'ailleurs soulagé d'en parler en ces termes.

CONCLUSION

Le lecteur qui ouvre le roman *L'Étranger* est ainsi très décontenancé. Il hésite sur le genre du roman : journal intime, autobiographie, identité du narrateur. L'absence d'émotion d'un héros / narrateur peu atteint par la mort de sa propre mère le déconcerte. L'écriture elle-même, en phrases brèves et sèches, sans affectivité, fait de cette ouverture le constat froid et détaché d'une mort sur laquelle le lecteur aimerait en savoir davantage. Sans doute aimerait-il savoir aussi comment s'expliquent un tel comportement et une telle facilité à mettre à distance ce qui devrait être une source d'émotion ou de bouleversement. Et il espère, non sans un certain malaise, que la suite du roman répondra à ses questions.

TEXTE 9

La Modification (1957)

MICHEL BUTOR

La Modification est une œuvre représentative du courant appelé « nouveau roman », illustré dans les années soixante. Les éléments traditionnels du roman, personnage, durée romanesque, évolution du récit, histoire même, y apparaissent sous des formes tout à fait nouvelles. Ainsi, dans ce roman de Michel Butor, le personnage principal est représenté par le pronom personnel « vous », ce qui complique beaucoup l'énonciation. Le titre s'explique par la « modification » que subit le héros, sur le plan affectif, au cours d'un voyage qui le mène à Rome où il doit retrouver sa maîtresse, Cécile. Il est en effet parti avec l'idée de quitter sa femme, Henriette, mais son projet initial se trouve « modifié ». Le début du roman, ce que l'on appelle l'ouverture ou l'incipit, présente le héros (« vous ») d'une manière très déconcertante pour le lecteur.

Vous avez mis le pied gauche sur la rainure de cuivre, et de votre épaule droite vous essayez en vain de pousser un peu plus le panneau coulissant.

Vous vous introduisez par l'étroite ouverture en
5 vous frottant contre ses bords, puis, votre valise couverte de granuleux cuir sombre couleur d'épaisse bouteille, votre valise assez petite d'homme habitué aux longs voyages, vous l'arrachez par sa poignée collante, avec vos doigts qui se sont
10 échauffés, si peu lourde qu'elle soit, de l'avoir portée jusqu'ici, vous la soulevez et vous sentez vos muscles et vos tendons se dessiner non seulement dans vos phalanges, dans votre paume, votre poignet et votre bras, mais dans votre épaule aussi,
15 dans toute la moitié du dos et dans vos vertèbres depuis votre cou jusqu'aux reins.

Non, ce n'est pas seulement l'heure, à peine matinale, qui est responsable de cette faiblesse inhabituelle, c'est déjà l'âge qui cherche à vous

20 convaincre de sa domination sur votre corps, et pourtant, vous venez seulement d'atteindre les quarante-cinq ans.

Vos yeux sont mal ouverts, comme voilés de fumée légère, vos paupières sensibles et mal lubri-
25 fiées, vos tempes crispées, à la peau tendue et comme raidie en plis minces, vos cheveux qui se clairsèment et grisonnent, insensiblement pour autrui mais non pour vous, pour Henriette[1] et pour Cécile[1], ni même pour les enfants désormais, sont
30 un peu hérissés et tout votre corps à l'intérieur de vos habits qui le gênent, le serrent et lui pèsent, est comme baigné, dans son réveil imparfait, d'une eau agitée et gazeuse pleine d'animalcules en suspension.

PISTES DE LECTURE

INTRODUCTION

La Modification commence par une série de paragraphes dans lesquels domine le pronom personnel « vous ». Cette formulation rend d'emblée ambiguë l'identification de la nature du texte. Les paragraphes, construits de manière progressive, apportent cependant des informations concernant ce « vous ». Le lecteur se demande qui il est et quel est son rôle. Le comportement du personnage désigné par ce pronom personnel est en effet très déroutant. Les caractéristiques du texte conduisent à une étude menée selon les trois axes suivants :

- la nature insolite du texte;
- des informations progressives;
- l'ambiguïté de l'énonciation.

1. Henriette et Cécile sont respectivement la femme et la maîtresse de « vous ».

1. LA NATURE INSOLITE DU TEXTE

Certaines particularités d'écriture permettent généralement d'identifier un texte et de préciser s'il appartient au récit ou au discours, s'il est narratif, descriptif, argumentatif... Le lecteur qui commence la lecture de *La Modification* est dérouté par plusieurs éléments : la présence répétée du « vous », l'emploi des temps, l'alternance du récit et des explications.

La présence répétée du « vous »

C'est le premier mot du texte (et donc du roman) et ce pronom personnel est constamment repris, comme si quelqu'un s'adressait à cette deuxième personne du pluriel considérée, peut-être, comme un interlocuteur. Il est en effet sujet de la grande majorité des verbes (l. 1, 2, 4, 8, 11, 21). C'est également lui qui est le bénéficiaire ou le destinataire d'actions faites par d'autres. Cela se marque par la prédominance du possessif « votre » et par l'emploi du « vous » complément (« vous convaincre » l. 19). Le lecteur peut alors se demander s'il s'agit d'un dialogue ou de l'exposé, fait au personnage, de ce qu'il est en train de vivre.

Les temps verbaux

On pourrait penser qu'ils aident à élucider le problème de la nature du texte. Or ils sont variables et déconcertants. Le premier verbe est en effet au passé composé (« Vous avez mis » l. 1). Il pourrait ainsi correspondre au rappel d'actions passées, accomplies par un « vous » à qui s'adresse un interlocuteur. Mais les autres verbes sont au présent (« vous essayez » l. 2, « Vous vous introduisez » l. 4, « vous l'arrachez » l. 8, « vous la soulevez », « vous sentez » l. 11, « vous venez » l. 21). Sont au présent également les verbes dont les sujets grammaticaux comportent l'adjectif possessif de la deuxième personne (« Vos yeux », l. 23, « vos paupières » l. 24, « vos cheveux » l. 26). On peut donc penser qu'il s'agit de l'exposé de ce qu'est en train de faire celui à qui s'adresse l'auteur du texte. En même temps, le texte comporte des explications justifiant ces actions.

L'alternance de récit et d'explication

D'un paragraphe à l'autre, les modalités d'écriture paraissent se modifier. Si le premier paragraphe (l. 1-3) semble appartenir au récit, le second est une présentation de ce qui est ressenti plus que de ce qui est fait. Le troisième, qui expose d'où viennent les difficultés signalées dans le second (fatigue, lourdeur, conscience de difficultés physiques), apporte des explications (« ce n'est pas [...] qui est responsable [...] c'est » l. 17-22). Le quatrième paragraphe, lui, est de nature descriptive (description des yeux, des paupières, des cheveux, de l'état général).

Ces différentes caractéristiques (présence du « vous », temps verbaux, différences de modalité d'écriture) rendent le texte assez difficile à identifier. Le lecteur peut cependant prendre connaissance d'un certain nombre de faits, d'une situation concernant « vous ». Le texte est en effet informatif.

2. LE CARACTÈRE INFORMATIF DU TEXTE

De manière progressive, et par la succession des différents paragraphes, le lecteur se trouve un peu informé. Les éléments qu'on lui donne lui permettent d'en deviner d'autres.

Un personnage en situation difficile

Les quinze premières lignes du texte insistent sur une situation mal maîtrisée par celui qui la vit. On peut récapituler tout ce qui souligne, en un même champ lexical, la difficulté et l'échec. « Vous essayez » (l. 2), « en vous frottant » (l. 4) suggèrent le caractère difficile d'une entrée, caractère aggravé par l'expression « en vain » (l. 2-3). L'effort physique douloureux est également exprimé par tous les termes appartenant au domaine de l'anatomie (« muscles », « tendons », « phalanges », « paumes », « poignet », « bras », « dos », « vertèbres », « reins ») par lesquels s'exprime un itinéraire de la douleur due au port de la valise. L'idée de difficultés physiques est reprise plus loin dans le texte. L'accent est mis sur ce qui semble être un mauvais réveil : « yeux [...] mal ouverts » l. 23, « paupières sensibles et mal lubrifiées » l. 24, « tempes crispées » l. 25, cheveux clairsemés (l. 26). La dernière phrase du texte, imagée, met en relief un comportement endormi, malhabile, un véritable malaise physique. L'impression de gêne prédomine. Elle est soulignée par des termes comme « serrent », « pèsent » (l. 31) et par l'allusion à un milieu aquatique dans lequel les perceptions seraient atténuées (« eau agitée », « animalcules » l. 32-33).

Les raisons de ces difficultés

Le début du texte pouvait laisser penser que les difficultés étaient strictement matérielles (ouvrir une porte). Or on découvre progressivement qu'elles sont personnelles et viennent de la nature du personnage lui-même, plus précisément de son âge. L'expression négative, suivie d'une affirmation (« Non, ce n'est pas seulement [...] c'est » l. 17) rétablit la vérité : les difficultés viennent d'un affaiblissement dû aux « quarante-cinq ans » de « vous ». Il s'agit de modifications physiques, perceptibles par l'environnement proche (femme, maîtresse, enfants l. 29). « Vous » se précise donc un peu : c'est un homme de quarante-cinq ans, un peu fatigué, qui a du mal à porter sa valise, dans un contexte qui évoque assez clairement celui du voyage : la porte difficile à ouvrir ne serait-elle pas celle d'un compartiment de train ? La découverte se fait grâce à la mise en situation de « vous ». Son identification reste pourtant bien mystérieuse pour le lecteur.

3. L'AMBIGUÏTÉ DE L'ÉNONCIATION[1]

Les choix narratifs faits par Michel Butor se révèlent dès l'ouverture du roman dans leur originalité et dans leur complexité. Le lecteur ne sait jamais très bien où il en est dans ses relations avec le narrateur et avec le personnage.

1. Ce terme désigne les conditions dans lesquelles est produit un énoncé et, en particulier, l'énonciation détermine qui parle et à qui.

L'utilisation de « vous » ouvre en effet sur plusieurs interprétations et il est difficile de répondre aux questions « qui parle ? », « qui est le destinataire du message ? »

« Vous » est-il l'interlocuteur d'un dialogue?

C'est sans doute la première interprétation à laquelle pense le lecteur. Cette idée peut être confortée par le « Non » de la ligne 17, qui semble appartenir lui aussi au dialogue. Mais l'absence de signes de ponctuation (guillemets, tirets, deux-points) fait abandonner cette piste. Comment en effet penser qu'il s'agit d'un dialogue lorsque celui qui parle expose à son interlocuteur ce que celui-ci est en train de faire, de penser, de ressentir ?

« Vous » est-il le personnage ?

Ce « vous » est, dans le texte celui qui agit. Le texte rapporte ses actions (il tente d'entrer), ses douleurs (les sensations douloureuses qui vont de la main aux reins) et ses pensées. Mais l'utilisation du « vous » entraîne l'idée qu'il semble être informé de ce qu'il fait en même temps qu'il le fait. Il y a là quelque chose de très déconcertant : le personnage, qu'un narrateur informe, ne paraît plus avoir, dans ces conditions, *aucune* autonomie. N'est-ce pas une façon de souligner qu'il ne peut exister indépendamment de celui qui le crée ? On pourrait également penser que par ce « vous » le personnage s'adresse à lui-même. Le roman, dans ce cas, serait une sorte de très long monologue mené par un héros se racontant à lui-même ce qu'il est en train de faire.

« Vous » est-il le lecteur/personnage ?

Dans la communication qui s'établit entre le narrateur (celui qui raconte) et son destinataire (normalement le lecteur), le « vous » peut logiquement représenter le lecteur. Comme « vous » est représenté en action, le lecteur, en s'assimilant à « vous » devient lui-même le personnage à qui l'on présente ses propres actions. Le phénomène d'identification lecteur/personnage, si fréquent dans la lecture romanesque, devient ici obligatoire. Le lecteur se découvre en train d'agir, et par voie de conséquence, de faire exister l'histoire, comme si elle ne pouvait exister sans lui.

Il existe enfin une dernière hypothèse

Par l'emploi du « vous », le lecteur ne deviendrait-il pas le narrateur ? En lisant, le lecteur croit s'adresser à « vous ». Il prend alors la place de celui qui parle et donc du narrateur.

CONCLUSION

Comme on le voit, l'ambiguïté semble être la caractéristique essentielle de ce début de roman. L'emploi du « vous » brouille de nombreuses pistes. Michel Butor a intentionnellement fait éclater ici les structures traditionnelles du roman (comme Diderot dans *Jacques le fataliste*). Tout en suscitant la curiosité du lecteur, qu'il place dans une bien étrange situation, il le conduit à une réflexion sur le roman. Il remet en effet en question le rôle de ceux qui sont indispensables à son existence : le narrateur, le personnage et le lecteur.

Trois questions d'ensemble traitées

1. CARACTÉRISTIQUES DES DÉBUTS DE ROMAN : DIVERSITÉ, UNITÉ

TEXTES D'APPUI : TOUS LES TEXTES

Ouvrir et commencer à lire une série de romans (neuf ici) révèlent qu'il y a des manières bien différentes de faire débuter une histoire, et pas simplement parce que les histoires sont différentes. Vrai ou faux dialogue, questions ou réponses, narration ou description, énoncé immédiat d'un fait essentiel : voilà quelques entrées en matière dont on trouve d'assez nombreux exemples. Ces observations mettent l'accent sur la diversité des « débuts de roman » : il s'agit d'une diversité d'organisation et d'écriture. Car sur le plan du contenu, le lecteur s'aperçoit que certaines données se ressemblent d'un roman à l'autre. Ne s'agit-il pas toujours d'informer ? Le début de roman est à l'origine d'une rencontre : celle d'un lecteur avec une histoire et des personnages. Il est donc essentiel que le lecteur prenne connaissance des éléments importants de l'histoire et qu'il découvre au moins certains des personnages.

L'exposé qui suit s'attachera à montrer les caractères particuliers des différents débuts de romans envisagés puis leurs points communs.

Des entrées en matière différentes

Avant même les toutes premières lignes du roman, certains éléments donnent un caractère original aux ouvertures de romans, à ce que l'on appelle « l'incipit ».

• Des « incipit » comportant des éléments différents

Dans certains romans, le lecteur passe directement de la page de couverture (ou de la préface, qu'en général il ne lit pas !) aux toutes premières lignes, sans intermédiaire d'aucune sorte. C'est le cas dans *Jacques le fataliste* (texte 2), dans *Germinal* (texte 5) et dans *La Modification* (texte 9).

Dans d'autres romans, le lecteur remarque la simple indication d'un chiffre, « I » dans *L'Éducation sentimentale* (texte 4), dans *Pierre et Jean* (texte 6) et dans *L'Étranger* (texte 8) sans savoir s'il s'agit de la numérotation du chapitre ou d'une partie de roman. Dans d'autres, avec ou sans indication du chapitre premier, celui qui ouvre le roman possède quelques données comme un titre, une information de lieu ou de temps. Le texte 1 *(Gil Blas)* comporte un titre (« De la naissance de Gil Blas et de son éducation »); il en est de même pour le texte 3 *(Le Rouge et le Noir)* qui a un titre (« Une petite ville ») et une citation (on appelle cela une épigraphe) empruntée au philosophe anglais Hobbes. Le texte 7 *(La Condition humaine)*, lui, s'ouvre sur une date précisée par une heure (« 21 mars 1927 » et « Minuit et demi »). Ce sont là quelques différences. Il y en a d'autres.

• Des façons différentes de commencer une histoire

Si les contes commencent traditionnellement par « il était une fois... », il n'en est pas de même pour les romans. Certains prennent les choses au début, d'autres mettent le lecteur immédiatement au cœur d'une situation, *in medias res,* d'autres encore jouent sur la surprise et donnent peu d'informations, certains commencent par planter le décor. Il en est même qui « combinent » toutes ces façons de commencer.

Un double début : on peut parler de double entrée en matière lorsque le début du roman marque en même temps le début d'une vie ou celui d'une intrigue. C'est le cas dans *L'Histoire de Gil Blas de Santillane* (texte 1). En effet le début du roman est consacré à la naissance et à l'éducation du personnage essentiel (comme le rappelle le titre du chapitre premier). C'est aussi le cas, pour des raisons différentes, dans *L'Étranger* (texte 8). Le premier mot du roman (« Aujourd'hui ») semble établir une coïncidence exacte entre le présent du narrateur et un fait essentiel, ne demandant pas un retour en arrière. Dans *L'Éducation sentimentale,* l'indication d'une date précise (« Le 15 septembre 1840 ») fait coïncider le début de l'histoire avec un fait daté, sans qu'il soit nécessaire de connaître ce qui s'est passé avant.

L'accent mis sur le décor : cette manière de procéder est celle qu'a choisie Stendhal dans *Le Rouge et le Noir* (texte 3). Le début du roman fait découvrir une « petite ville » de province, qui va être le lieu de l'action. C'est un décor situé géographiquement et économiquement. Le lecteur peut se rendre compte, à l'importance accordée aux lieux par la présentation minutieuse qui en est faite, qu'ils seront sans doute le décor constant de l'histoire (par opposition aux deux embarcations dont il est question dans les textes 4 et 6).

Un début *in medias res* : ce genre de début est assez fréquent. Il « plonge » le lecteur dans une action précise, mais déjà commencée, dont il ne sait rien et qu'il découvre en tant que témoin. Cette façon de commencer est celle qui caractérise les textes 5, 6 et 7. Dans le texte 5 *(Germinal),* le lecteur découvre un homme marchant de nuit à travers une vaste étendue déserte et dénudée, balayée par un vent glacial. Ces éléments sont ceux qui constituent la première phrase. L'action accomplie par l'homme (marcher) est commencée, sans que le lecteur sache qui est l'homme et ce qu'il fait là. Dans le texte 6 *(Pierre et Jean),* le roman s'ouvre sur une exclamation poussée par un personnage, occupé à pêcher. Le lecteur ne sait pas qui il est, ni depuis combien de temps la pêche a commencé. Enfin dans *La Condition humaine,* l'entrée dans le roman se fait par une interrogation et sur l'expression d'une incertitude. Le lecteur découvre un personnage, « Tchen », en action. Il ne sait rien de lui, ne sait pas non plus pourquoi il est là ni ce qu'il doit faire. Ce genre d'entrée en matière fait du lecteur une sorte d'intrus, assistant brusquement à une scène à laquelle il est tout à fait étranger et sur laquelle il n'a pas d'information.

Une volonté de déconcerter : une autre façon de commencer un roman peut reposer sur la volonté du narrateur de déconcerter le lecteur. C'est ce que fait Diderot, en s'adressant à son lecteur, de façon très irrévérencieuse (texte 2). Il l'interpelle (« Que vous importe? ») en lui rappelant qu'il a tout pouvoir de répondre, ou non, aux questions normales que se pose un lecteur : « Comment », « où », « d'où », « que »... ? C'est une manière de situer la relation lecteur / histoire / narrateur sur un plan insolite. Tout aussi insolite est le début de *La Modification :* le premier mot est « Vous » et le lecteur étonné ne sait pas si c'est le narrateur qui parle, ou l'interlocuteur d'une conversation déjà engagée, ni qui ce « vous » représente. Ce pourrait être lui, le lecteur. Mais comme il n'est pas en train de mettre « le pied gauche sur la rainure de cuivre », il ne comprend plus très bien.

On voit ainsi que les entrées en matière de roman sont difficiles à classer, même s'il apparaît quelques éléments d'organisation. Ces ouvertures présentent une grande diversité. Pourtant, on note, dans ces différents textes, des éléments qui se répètent.

Les éléments communs aux débuts de roman

À la fin de la lecture de chacun des extraits, le lecteur se trouve en possession de certaines informations. Dans tous les cas, il a rencontré un ou plusieurs personnages. Il a découvert des lieux, s'est situé dans le temps, même si ces éléments laissent encore sans réponse de nombreuses questions.

• Les personnages

Multiples ou uniques, principaux ou secondaires, ils apparaissent dans tous les textes. Il n'est pas un seul texte en effet qui ne mette en jeu une présence humaine (personnage ou narrateur / héros). Le lecteur découvre ainsi Gil Blas, narrateur et héros du texte 1, et ses origines familiales. Le texte 2 présente Jacques et son maître et le lecteur sait qu'il fait connaissance avec le héros principal, qui a donné son nom au roman. Le texte 3 ne donne qu'un personnage, *Monsieur le Maire*. Mais la graphie en italique semble souligner son importance, non seulement dans la ville, mais sans doute dans le roman. Dans le texte 4 apparaît un jeune homme, dont la présence n'est sans doute pas étrangère au titre *(L'Éducation sentimentale)*. Dans les autres textes, on note successivement un ouvrier au chômage dans *Germinal* (texte 5), une famille dont les deux frères donnent leur nom au roman *(Pierre et Jean,* texte 6), un assassin (ou un tueur à gage) au nom asiatique, et sa victime (texte 7), un narrateur / héros (« Je ») dans *L'Étranger* (texte 8) et enfin un homme de quarante-cinq ans, un peu fatigué, (« Vous ») dans le texte 9. Ces personnages sont tous en relation avec les lieux et le temps, que le lecteur découvre aussi, sous des formes diversifiées.

- **Les données spatio-temporelles**

Vagues ou précises, immédiates ou lointaines, elles se révèlent dans chacun des textes. Un cadre large est donné dans le texte 1, l'Espagne. Dans le texte 7, il s'agit de l'Extrême-Orient. De manière moins vaste, les lieux peuvent être une plaine (*Germinal,* texte 5), une ville, « Verrières » (*Le Rouge et le Noir,* texte 3), « Alger » (*L'Étranger,* texte 8), « Paris » (*L'Éducation sentimentale,* texte 4). Plus précis encore sont les lieux dont il est question dans le texte 6 *(Pierre et Jean),* un bateau, ou dans le texte 9 *(La Modification),* vraisemblablement l'entrée d'un compartiment de train.

Pour ce qui est du temps, les données sont également très diverses mais, précises ou non, elles sont toujours présentes. On les trouve sous la forme d'indications historiques : dates précises dans les textes 4 *(L'Éducation sentimentale)* et 7 *(La Condition humaine)* (jour, mois, année et heure), références historiques dans le texte 3 *(Le Rouge et le Noir)* (« depuis la chute de Napoléon »). On trouve aussi des informations relatives : un moment d'une partie de pêche (*Pierre et Jean,* texte 6), les projets faits à partir d'un « Aujourd'hui » non daté (*L'étranger,* texte 8), un âge (« quarante-cinq ans ») dans le texte 9. Il est donc possible au lecteur de se repérer, de manière absolue ou relative. Les données spatio-temporelles permettent de situer une action dont quelques éléments sont donnés dès le début du roman.

- **L'intrigue**

C'est sans doute ce qui est le moins précis. Mais après quelques lignes, le lecteur a « une petite idée » de ce dont il est question. Les neuf débuts de roman dévoilent en effet quelques éléments d'*une* intrigue, souvent en relation avec le titre. C'est très simple dans le cas de *Gil Blas,* à cause du titre : le lecteur se doute que le roman sera une suite d'aventures dont le début laisse penser qu'elles permettront au narrateur / héros de manifester son intelligence. Il sait aussi que le roman de Diderot (texte 2) va tourner autour du récit des amours de Jacques, que *L'Éducation sentimentale* racontera certainement les expériences de Frédéric Moreau, et que *Germinal* montrera comment le jeune ouvrier au chômage parvient à trouver du travail.

À partir du début de *Pierre et Jean,* le lecteur cherche quel problème va se poser aux deux frères mis en cause par le titre. Il se demande (texte 7) qui est Tchen et pourquoi ce dernier doit commettre un assassinat. Il cherche à savoir aussi pourquoi la mort de sa mère semble faire si peu d'effet au narrateur du texte 8, qui est ce « vous » dans le texte 9 et ce qu'il fait dans un train. Le texte 3 est le plus difficile à déchiffrer : pourquoi cette présentation de la ville de Verrières ? Il est ici quasiment impossible d'imaginer une intrigue précise, ou du moins, tout est possible.

Conclusion

Cette analyse de certaines caractéristiques des « débuts de roman » attire l'attention sur des différences et sur des points communs. Ces derniers montrent que les débuts de romans ont une fonction informative importante, mais que les informations font naître elles-mêmes de nombreuses questions. Une recherche d'originalité dans les incipit ne fait pas oublier que le début de roman est fait d'une combinaison irrégulière de révélations et de zones d'ombres. Ce qui est dit n'est pas définitif, les informations orientent vers des pistes qui seront peut-être fausses. Une chose est certaine : si l'on veut « accrocher » le lecteur, il faut susciter sa curiosité et son intérêt. C'est la raison pour laquelle le « début de roman » joue un rôle fondamental.

2. LE RÔLE DÉCISIF DU DÉBUT DE ROMAN

Tout début est important : il fait exister ce qui n'existait pas encore, une histoire, une situation, des personnages, des sentiments, une intrigue. De la même façon qu'au théâtre la scène d'exposition est essentielle puisqu'elle permet de savoir « qui est qui » et « de quoi il s'agit », ce que l'on appelle « l'incipit » d'un roman (c'est-à-dire les premières lignes) a donc un rôle déterminant. Il établit un contact entre d'un côté un univers fictif présenté comme réel, des personnages inventés que l'on voit agir, et de l'autre un lecteur qui crée sa propre relation avec l'œuvre.

L'étude de quelques débuts de romans écrits à des époques différentes (du XVIIIe au XXe siècle), par des auteurs différents et dans des perspectives différentes permet de s'interroger sur le rôle du début de roman et de mettre en évidence ce qu'il a de décisif. On peut déterminer plusieurs aspects de ce rôle : faire exister des éléments fictifs et informer le lecteur, créer un certain mode de narration, établir une relation entre un narrateur et son lecteur. Mais ce qui est le plus important n'est-ce pas, surtout, de donner l'envie de poursuivre la lecture ?

Le début de roman fait exister ce qui n'existait pas pour le lecteur

Pour le lecteur qui ouvre un roman, il n'y a pas encore d'histoire. Il ne sait rien. Même si le titre est explicite, comme dans *L'Histoire de Gil Blas de Santillane* (texte 1) ou dans *L'Éducation sentimentale* (texte 4), le lecteur ne sait pas de quoi il s'agit. Il sait encore moins quelles peuvent être les péripéties de cette « histoire » ou de cette « éducation ». Dès les premières lignes, il découvre un ensemble d'éléments que lui présente un narrateur, qui fait exister pour lui ce que l'on appelle la fiction romanesque. De quoi est-elle constituée ?

• Un cadre et une atmosphère

Le cadre fait intervenir des données spatiales et temporelles en même temps qu'il est marqué par une certaine atmosphère. Le lecteur sait ainsi où se passe l'intrigue : en Espagne pour *Gil Blas* (texte 1) en Franche-Comté pour *Le Rouge et le Noir* (texte 3), dans une plaine pour *Germinal* (texte 5), à Alger pour *L'Étranger* (texte 8). Certains lieux sont plus précis : une pièce, dans *La Condition humaine* (texte 7), un bateau dans *Pierre et Jean* (texte 6). Le lecteur sait également, mais pas toujours très précisément, à quel moment se situe l'action : indication de la nuit ou du jour, de la saison (texte 5), du moment de la journée (texte 6). Parfois même, le roman prend une forme historique par l'indication d'une date comme dans *La Condition humaine* (texte 7) et dans *L'Éducation sentimentale* (texte 4).

Le cadre de la fiction romanesque peut être générateur d'une atmosphère originale, particulièrement sensible dans certains romans. Dans *La Condition humaine,* le lecteur perçoit une véritable angoisse. Dans *Le Rouge et le Noir,* la présentation de Verrières laisse supposer, au contraire, par le bien-être économique évoqué, l'absence de difficultés de vie.

- **Des personnages et leurs liens**

Certains personnages ont immédiatement une identité et une personnalité reconnaissables, d'autres sont plus flous. Certains sont pris en pleine action (voir *Germinal, Pierre et Jean, La Condition humaine, La Modification*). Dès l'ouverture du roman, ils commencent à exister pour le lecteur, même s'ils ont déjà un passé, qu'il ne connaît pas. C'est le cas pour le héros de *Germinal* (texte 5), pour ceux de *La Condition humaine* (texte 7) ou de *La Modification* (texte 9). Le début du roman est la découverte que fait le lecteur d'une fiction présentée comme une réalité en cours de développement, qui se matérialise et existe à travers les mots.

- **Une histoire**

Même si la vie des personnages est déjà bien engagée (ce qui est le cas dans tous les textes sauf dans *L'Histoire de Gil Blas de Santillane,* texte 1), l'intrigue ne commence à exister pour le lecteur qu'au moment où le roman débute. En effet, il ne sait rien de ce qui a pu précéder. La plupart du temps, ce récit commence sans que lui, le lecteur, en connaisse les éléments déterminants, parce que ceux-ci ne sont pas donnés immédiatement. Ainsi, il ne sait pas pourquoi Tchen (*La Condition humaine,* texte 7) doit tuer, ni pourquoi « vous » (*La Modification,* texte 9) se trouve dans un train, ni pour quelles raisons le héros de *Germinal* (texte 4) traverse en grelottant une plaine déserte très tôt le matin. Il ne connaît que certains éléments et c'est avec ces éléments qu'il peut commencer à construire le « puzzle » d'une histoire.

La découverte par le lecteur, au moment où il ouvre le roman, de tous ces éléments constitue une source d'information. Il commence ainsi à savoir de quoi il est question, dans quel lieu et à quelle époque l'action se passe. Le début de roman lui fait découvrir aussi un certain mode de narration romanesque.

Le début de roman révèle un certain mode de narration

• Une narration de type classique

Certains romans commencent de manière tout à fait classique. Le récit met en place les éléments qui répondent aux questions traditionnelles : de qui s'agit-il ? où les choses se passent-elles ? quand ? de quoi est-il question ? Le lecteur n'est pas dépaysé et peut s'attendre à ce que l'ensemble du roman soit dans la même ligne. Ainsi, le début de *L'Histoire de Gil Blas* (texte 1) comporte toutes les données attendues et le lecteur peut espérer un déroulement continu d'expériences, de l'enfance à l'âge adulte. De même, le début du roman de Stendhal, *Le Rouge et le Noir* (texte 3) laisse penser qu'une intrigue va prendre place et se dérouler dans le lieu décrit dans le premier chapitre. Il suggère aussi que l'un des héros sera le maire de Verrières. Le début de *L'Éducation sentimentale* (texte 4) est également tout à fait dans la tradition qui veut que le narrateur donne d'emblée les éléments importants qui serviront de base à l'intrigue.

• Une narration entraînant des retours en arrière

En revanche, le mode de narration se révèle différent dans certains autres débuts de roman : insolite, inattendu, il provoque la surprise et laisse perplexe quant à la suite. C'est le cas dans *Jacques le fataliste* (texte 2) : le narrateur ne joue pas son rôle puisqu'il refuse de raconter. Il laisse la place à un second narrateur qui vient embrouiller la situation, et le lecteur ne sait plus où il en est. Un passage de dialogue laisse même croire un moment qu'il pourrait s'agir de théâtre. Dans *Germinal* (texte 5) ou dans *Pierre et Jean* (texte 6), le lecteur peut s'attendre, à la suite du début qui le met *in medias res* à une ou plusieurs rétrospectives. Il faudra en effet qu'il connaisse les raisons d'une situation à laquelle il assiste soudain, mais dont il ne sait rien.

• Des choix narratifs originaux

Dans *L'Étranger* (texte 8) et dans *La Modification* (texte 9), l'entrée en matière est très révélatrice de choix narratifs originaux : récit à la première personne en phrases brèves qui ressemblent à de simples notations juxtaposées dans *L'Étranger;* utilisation très inattendue du pronom personnel « vous » dans *La Modification,* qui pose un problème complexe d'identification en ce qui concerne le narrateur, le personnage et le lecteur.

Les modes de narration romanesque se révèlent dès le début du roman. Prendre conscience de leur caractère traditionnel ou novateur, c'est pour le lecteur découvrir un peu de la manière dont il va être « traité », en tant que lecteur. C'est en effet dès le début que se met en place la relation qu'il va entretenir avec le narrateur et avec le ou les personnages.

La relation narrateur / lecteur

Les choix narratifs abordés précédemment permettent d'analyser le caractère particulier de la relation que le narrateur entretient avec son lecteur. Les différents débuts de romans montrent que cette relation prend des formes diversifiées.

• Le narrateur tout puissant

Au début du roman, il semble détenir toutes les connaissances. Il sait en effet quelle est l'intrigue et quels sont les antécédents de ses personnages. Racontant une histoire, il en connaît les tenants et les aboutissants. Cette position de supériorité est manifeste dans certains débuts où ce qui est dit laisse penser que le narrateur en sait beaucoup plus. Dans *Le Rouge et le Noir* (texte 3), *L'Éducation sentimentale* (texte 4), *Germinal* (texte 5) ou *Pierre et Jean* (texte 6), tout laisse penser que les narrateurs savent tout sur les personnages, sur les situations, sur les lieux. L'assurance du ton, la précision des informations, l'absence d'incertitude, tout insiste sur l'omniscience (il semble tout savoir) et sur la puissance de celui qui « raconte » l'histoire.

C'est ce pouvoir que rappelle avec humour le narrateur de *Jacques le fataliste* lorsqu'il refuse de répondre aux questions qu'il pose lui-même (« Comment s'étaient-ils rencontrés ? texte 2), en supposant que le lecteur n'a pas besoin de connaître la réponse. Le lecteur peut alors penser qu'il est un peu à la merci du narrateur, qui ne lui dira que ce qu'il veut bien lui révéler. Ne peut-on penser de la même façon que le narrateur de *La Modification* est également tout-puissant puisqu'il fait se réaliser l'histoire en même temps qu'il la raconte ? Les choses ne sont pas si simples et dans certains romans, il semble bien que le lecteur bénéficie d'un pouvoir plus grand qu'il ne le croit.

- **Le lecteur inventif**

Les questions posées par Diderot et son refus d'y répondre ouvrent une piste de réflexion différente. Toute liberté est ainsi laissée au lecteur pour imaginer ce qui ne lui est pas dit. De même *La Condition humaine* ne commence-t-elle pas par des interrogations marquant l'incertitude ? Qui pose ces questions concernant l'action de Tchen (« Tchen tenterait-il de lever la moustiquaire ? ») ? On peut penser que c'est le narrateur qui interroge, preuve qu'il ne sait pas tout et qu'il laisse une part d'invention à son lecteur. Le début de roman a ainsi un rôle décisif dans la relation qui s'instaure entre le narrateur et le lecteur. C'est en fonction de cette relation que le lecteur se déterminera à continuer ou non sa lecture.

Conclusion

Le début de roman est décisif autant par ce qu'il dit que par ce qu'il ne dit pas. Pour susciter la curiosité et l'intérêt, il doit en effet laisser quelques zones d'ombre. Il doit informer mais la « non-information » est aussi importante. S'il dit tout, il détruit la curiosité. De ses qualités, de son originalité, de l'organisation de son contenu, de ses choix narratifs dépendra le choix du lecteur de se laisser prendre au plaisir de la lecture ou de l'abandonner. C'est la raison pour laquelle la manière de commencer un roman doit tenir compte des réactions du lecteur, de sa sensibilité, de son imagination. C'est en effet lui qui fait prendre vie à ce qui est simplement raconté. C'est le lecteur qui transforme en réalité ce qui n'est que fiction. Le début de roman est à cet égard décisif.

3. NARRATEUR, LECTEUR ET PERSONNAGES DANS LES DÉBUTS DE ROMAN

Au moment où il ouvre un roman, le lecteur se trouve dans la situation de quelqu'un à qui on va raconter une histoire. Il peut donc penser que le narrateur connaît tout et peut le conduire, lui, lecteur, vers un dénouement déjà « programmé ». Mais le lecteur sait aussi qu'il devra faire un effort d'imagination, de mémoire et qu'il conserve une certaine liberté, au moins celle d'arrêter sa lecture. Le début de tout roman engage la relation entre ces deux « protagonistes » que sont le narrateur et le lecteur.

Parallèlement, une seconde relation s'ébauche, entre le lecteur et les êtres qui animent le roman, les personnages. Entre eux se crée une relation nourrie de différents sentiments, relation difficilement dissociable de celle du narrateur avec le lecteur, puisque c'est le narrateur qui présente les personnages.

À partir de plusieurs débuts de romans, on peut analyser successivement la situation du narrateur, ses relations avec le lecteur et celles du lecteur avec les personnages.

La situation du narrateur

Elle dépend des modalités d'écriture choisies : roman à la première ou à la troisième personne. On peut même trouver des cas particuliers. À l'intérieur de ces différentes situations, on peut encore établir des différences de points de vue, selon que le narrateur est, ou n'est pas, omniscient (c'est-à-dire un être qui sait absolument tout).

• Les romans à la première personne

Le narrateur est immédiatement identifiable et l'on peut penser qu'il est omniscient, ce qui signifie qu'il sait tout. Il raconte sa propre histoire (celle de Gil Blas dans le texte 1, celle de Meursault dans le texte 8), et connaît donc tous les détails qui la composent. Dès le début du roman, dès qu'il commence à raconter, il se fait connaître à travers ce qu'il dit et à travers la manière de le dire; le lecteur se fait ainsi une première idée sur lui. Dans le texte 1, Gil Blas se montre astucieux et plein d'humour. Dans le texte 8, le narrateur apparaît, à travers ses réactions inattendues, sous un jour insolite.

• Les romans à la troisième personne

Le narrateur n'a qu'une fonction, il raconte; il n'est pas le héros de l'histoire, il n'y est pas intégré. Il est pourtant souvent omniscient : cela se marque au fait qu'il donne des informations en se référant à des situations antérieures, ou à des faits que le lecteur ne connaît pas. C'est le cas dans bien des romans. Le narrateur de *Jacques le fataliste* (texte 2) joue avec la curiosité de son lecteur, laisse penser qu'il sait tout mais qu'il ne veut rien dire, comme le montrent les premières lignes. Les narrateurs de *Germinal* (texte 5), ou de *La Condition humaine* (texte 7), ou de *L'Éducation sentimentale* (texte 5) ou de *Pierre et Jean* (texte 6) possèdent de nombreuses informations qu'ils ne donnent que peu à peu et sans toujours préciser si elles sont importantes ou non. Dans *La Condition humaine,* par exemple, le narrateur sait pour quelles raisons Tchen doit commettre un assassinat. Il a donc une avance très nette sur son lecteur en ce qui concerne la connaissance de l'intrigue.

Ce narrateur souvent omniscient peut s'effacer derrière le regard d'un de ses personnages. Lorsqu'une scène, ou un paysage, est vu à travers le regard d'un personnage, on parle de « focalisation interne ». Dans *Germinal,* une partie du paysage nocturne est perçu à travers le regard découragé du héros. La petite ville de Verrières est présentée comme si elle était découverte par un voyageur. Il en est de même dans *La Condition humaine :* le cadre environnant semble vu comme le voit Tchen, avec angoisse, avec le sentiment d'un isolement par rapport au monde extérieur.

• Cas particuliers

Il existe des romans qui ne sont ni à la première, ni à la troisième personne. Quelle est alors la situation du narrateur et qui est-il? La question se pose à propos de *La Modification* (texte 9), roman entièrement écrit à la seconde personne du pluriel (« vous »). Ce « vous » très insolite brouille les pistes et fait que le lecteur ne sait plus qui s'adresse à qui : il peut même se prendre lui-même pour le narrateur, puisque à la lecture il peut se mettre à la place de celui qui parle. Parmi les cas particuliers, on peut citer aussi *Jacques le fataliste* (texte 2), qui inclut une histoire à l'intérieur d'une autre, avec la présence ambiguë de deux narrateurs. Il y a celui qui raconte l'histoire de Jacques et celui qui raconte les amours de Jacques (et qui est Jacques lui-même). Ce phénomène d'emboîtement de deux récits rend difficile l'identification des narrateurs et met le lecteur dans une situation un peu compliquée.

Le début de roman permet ainsi de repérer tout de suite la situation du narrateur, et de deviner peut-être à partir de là certaines intentions romanesques particulières : appel à l'imagination du lecteur (textes 3, 4, 5), refus des situations traditionnelles (textes 2 et 9), pouvoir total ou partiel du narrateur. Le début de roman précise le mode d'existence du narrateur.

Narrateur et lecteur : différents types de relation

La relation entre le narrateur et le lecteur, perceptible dès le début de tout roman, peut être directe ou indirecte, et de ce caractère dépendent les liens qui vont se créer entre les deux.

• Une relation directe

On la trouve dans les textes où le narrateur interpelle son lecteur et s'adresse à lui. *Jacques le fataliste* en donne un bon exemple dès les premières lignes du roman (« Que vous importe? »). Cette manière de s'adresser familièrement au lecteur apparaît aussi dans *L'Histoire de Gil Blas* (« Représentez-vous... ») et dans *La Modification,* même si l'on ne sait pas immédiatement que « vous » n'est pas réellement le lecteur, mais très probablement le personnage.

• Une relation indirecte

C'est celle qui fait du lecteur un auditeur, un spectateur, un témoin, invité à écouter et à suivre une histoire même si le narrateur ne lui adresse pas la parole. Dans *Le Rouge et le Noir* (texte 3), le narrateur met le lecteur en situation de voyageur entrant dans la ville, mais il ne s'adresse pas à lui. Dans *Germinal* (texte 5), le lecteur assiste, grâce à ce que lui dit le narrateur, à la progression difficile du personnage dans un environnement hostile. Dans *L'Éducation sentimentale* (texte 4), le lecteur est également témoin.

Dans *Pierre et Jean* (texte 6), il lui semble faire intrusion, brusquement, dans une scène à laquelle il n'assistait pas initialement. Qu'elle soit directe ou indirecte, la relation narrateur/lecteur, qui pose d'emblée un certain type de lien entre le narrateur et le lecteur, repose ainsi sur une complicité, sur des émotions et sur des sentiments communs. C'est de cette relation que dépendra la suite de la lecture.

• Le coup d'œil complice

On le trouve dans les trois romans qui établissent d'emblée une relation directe entre le narrateur et le lecteur *(L'Histoire de Gil Blas de Santillane, Jacques le fataliste* et *La Modification).* L'appel direct au lecteur le transforme, de manière insolite ou fantaisiste, en interlocuteur privilégié : le narrateur le fait rire ou sourire *(L'Histoire de Gil Blas, Jacques le fataliste),* instaurant un lien de complicité. En mettant le lecteur dans la confidence, le narrateur lui accorde une confiance qui lui donne le sentiment de sa propre valeur et fait de lui une sorte de coauteur partageant l'histoire racontée.

• L'émotion partagée

La tonalité émotionnelle du début de roman est déterminante pour la suite. Elle met en effet le lecteur dans un état affectif de nature à lui faire ou non continuer sa lecture. Elle participe à la relation créée avec le narrateur, l'histoire, le contexte et les personnages. Cette émotion est particulièrement marquée dans *Germinal* (texte 6) et dans *La Condition humaine* (texte 7). Dans le texte de Zola, la présentation du personnage fait naître chez le lecteur un élan de sympathie et de pitié devant une situation aussi démunie. De même, le lecteur se laisse émouvoir par la scène qui ouvre *La Condition humaine* et par les incertitudes angoissées d'un homme isolé qui s'interroge sur une action qu'il doit accomplir. En l'absence de véritables informations concernant les motivations de Tchen, le lecteur ne sait trop quel parti prendre. Toutefois, la manière de raconter et de présenter les choses peut orienter ses prises de position en même temps que se crée l'émotion.

• La mise en jeu de l'imagination

Le début de roman fait travailler l'imagination du lecteur. Un décor apparaît soudain, à travers des mots, et le lecteur lui donne forme et vie, avec plus ou moins de facilité selon la nature et la précision des informations fournies. Les images, les métaphores, la nature de la description des lieux jouent un rôle important dans la mise en jeu de l'imagination. Il est assez facile de se représenter le décor de *Germinal*. Le texte conduit même le lecteur à ressentir les impressions du personnage, le froid, la faim, la lassitude. Dans *Le Rouge et le Noir* (texte 3), le lecteur imagine la ville de Verrières comme s'il y était : les précisions géographiques facilitent l'évocation. De même, dans *L'Éducation sentimentale* (texte 4), on peut imaginer le contour de Notre-Dame et les rives de la Seine, comme si l'on avait sous les yeux un tableau. La découverte de l'environnement dans lequel se situe le début d'une histoire met en action les facultés imaginatives de celui qui lit : il ne reste pas inactif, il se crée sa propre image et participe ainsi à l'élaboration du décor.

Voltaire disait d'un livre qu'il était bon lorsque le lecteur en faisait lui-même la moitié. Le début d'un roman joue un rôle déterminant dans l'intervention personnelle du lecteur.

La relation avec les personnages

La relation qui s'établit au début d'un roman met en cause trois éléments : le narrateur, sans qui l'histoire ne serait pas racontée, le lecteur, sans qui elle ne vivrait pas, et resterait simplement un texte, et les personnages qui l'animent. Analyser la relation du lecteur avec les personnages est intéressant.

• Présence des héros et relations avec le lecteur

Dans certains cas, les personnages principaux sont présents dès l'ouverture du roman (on ne sait pas toujours que ce sont les personnages principaux mais on le devine souvent). Le lecteur peut ainsi instaurer avec eux une relation originale. Par exemple, on remarque que la relation qui se crée entre lui et Gil Blas (texte 1) ou Jacques (texte 2) est plutôt une sorte de complicité amusée et curieuse. Avec le narrateur de *L'Étranger,* en revanche, la relation peut être tout à fait différente : le lecteur est sans doute interloqué de constater l'absence d'émotion du narrateur/héros et a du mal à la comprendre. La relation est souvent faite d'interrogations : pourquoi Tchen doit-il tuer un homme endormi (texte 7) ? Qui est l'homme qui marche, de nuit, dans une plaine glacée, dans *Germinal* (texte 5) ? Que cache une apparente bonne entente familiale dans *Pierre et Jean* (texte 6) ?

Dès l'entrée en matière du roman, une relation affective (affection, refus, intérêt, curiosité, admiration) s'établit entre le lecteur et les personnages présents. Sur ce plan, l'incipit d'un roman est déterminant, même si les personnages, mis en situation, ne sont pas encore bien connus.

• Des héros difficiles à identifier

Parfois l'absence de personnages dominants laisse penser que les héros ne sont pas présents dès l'incipit du roman. Se crée alors un phénomène d'attente et de curiosité, dû à ce que le narrateur fait attendre son lecteur. Dans *Le Rouge et le Noir* (texte 3), le seul personnage présent est introduit par son titre administratif « Monsieur le maire ». Le lecteur se doute bien qu'il doit jouer un rôle important puisqu'il est présent dès le début, mais sa curiosité est mise en éveil : toutes les pistes sont ouvertes. Dans *La Modification* (texte 9), le lecteur ne sait pas quoi penser et sa première réaction est d'être déconcerté : ce « vous » persistant, qui permet de découvrir un quadragénaire un peu fatigué dans un train est tout à fait inattendu. Le lecteur n'a-t-il pas l'impression de se découvrir lui-même en découvrant le personnage, puisqu'il semble qu'on s'adresse à lui ?

Conclusion

Le début de roman crée un faisceau de relations entre trois éléments humains essentiels dans la création romanesque. Mais il arrive que ce qui n'est pas dit soit plus important que ce qui est dit. L'entrée en matière laisse de larges zones d'ombre dans la relation entre le narrateur, le lecteur et les personnages. C'est de la richesse de cette relation que va naître la richesse de la découverte et donc de la lecture. Le narrateur semble être le maître du jeu mais c'est peut-être le lecteur qui a la part la plus belle : c'est à lui qu'il revient de « faire exister » un roman à partir des éléments qui lui sont donnés et surtout à partir de ce qui est simplement suggéré. Il appartient au lecteur d'être « inspiré », mais il ne peut l'être à partir de rien : tout début de roman est ainsi le début d'une aventure qui n'existe pas encore tout à fait tant que la lecture ne lui donne pas vie.

COLLECTION PROFIL

• PROFIL FORMATION

Expression écrite et orale

305 - Explorer le journal
306 - Trouvez le mot juste
307 - Prendre la parole
308 - Travailler en groupe
309 - Conduire une réunion
310 - Le compte rendu de lecture
311/312 - Le français sans faute
323 - Améliorez votre style, t. 1
365 - Améliorez votre style, t. 2
342 - Testez vos connaissances en vocabulaire
390 - 500 fautes de français à éviter
391 - Écrire avec logique et clarté
395 - Lexique des faux amis
398 - 400 citations expliquées
415/416 - Enrichissez votre vocabulaire
424 - Du paragraphe à l'essai
425 - Les mots clés de la mythologie

Le français aux examens

422/423 - Les mots clés du français au bac
303/304 - Le résumé de texte
417/418 - Vers le commentaire composé
313/314 - Du plan à la dissertation
324/325 - Le commentaire de texte au baccalauréat
394 - L'oral de français au bac
421 - Pour étudier un poème

Bonnes copies de bac

Authentiques copies d'élèves, suivies chacune d'un commentaire

317/318 - Français : commentaire de texte, t. 1
349/350 - Français : commentaire de texte, t. 2
319/320 - Français : dissertation, essai, t. 1
347/348 - Français : dissertation, essai, t. 2
363/364 - Français : technique du résumé et de la discussion

• PROFIL LITTÉRATURE

Dix textes expliqués

90 - 10 poèmes expliqués : **Du surréalisme à la résistance**
91 - 10 poèmes expliqués : **Baudelaire** : Les fleurs du mal
92 - 10 poèmes expliqués : **Du symbolisme au surréalisme**
93 - 10 poèmes expliqués : **Le romantisme**
102 - 10 poèmes expliqués : **Parnasse et symbolisme**
104 - 10 textes expliqués : **Voltaire,** Candide
107 - 10 textes expliqués : **Stendhal,** Le rouge et le noir
108 - 10 textes expliqués : **Flaubert,** Madame Bovary
110 - 10 textes expliqués : **Molière,** Dom Juan
131 - 10 textes expliqués : **Balzac,** Le Père Goriot
135 - 10 textes expliqués : **Camus,** L'étranger
136 - 10 textes expliqués : **Zola,** Germinal

Histoire littéraire

114/115 - 50 romans clés de la littérature française
119 - Histoire de la littérature en France au XVIe siècle
120 - Histoire de la littérature en France au XVIIe siècle
139/140 - Histoire de la littérature en France au XVIIIe siècle
123/124 - Histoire de la littérature et des idées en France au XIXe siècle
125/126 - Histoire de la littérature et des idées en France au XXe siècle
127 - La littérature fantastique en France
116 - 25 romans clés de la littérature négro-africaine
117/118 - La littérature canadienne francophone

Hors série

1 000 - Guide des Profils : un répertoire détaillé de tous les Profils

Aubin Imprimeur
LIGUGÉ, POITIERS

Achevé d'imprimer en août 1991
N° d'édition 8653 / N° d'impression L 38477
Dépôt légal septembre 1991 / Imprimé en France